CW00794352

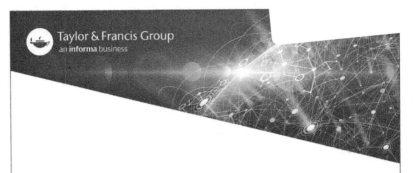

Taylor & Francis Group
an **informa** business

Taylor & Francis eBooks

www.taylorfrancis.com

A single destination for eBooks from Taylor & Francis
with increased functionality and an improved user
experience to meet the needs of our customers.

90,000+ eBooks of award-winning academic content in
Humanities, Social Science, Science, Technology, Engineering,
and Medical written by a global network of editors and authors.

TAYLOR & FRANCIS EBOOKS OFFERS:

A streamlined
experience for
our library
customers

A single point
of discovery
for all of our
eBook content

Improved
search and
discovery of
content at both
book and
chapter level

REQUEST A FREE TRIAL
support@taylorfrancis.com

Routledge
Taylor & Francis Group

CRC Press
Taylor & Francis Group

MEDIA ARABIC

Media Arabic provides advanced students of Arabic with a range of engaging texts on controversial and contemporary topics that reflect the current social and political environment in the Middle East.

Divided into ten thematic modules, each module includes three units based on a selection of authentic newspaper articles that dive deep into topics as diverse as climate change, racism, and corruption. Each unit contains comprehension and discussion questions as well as vocabulary lists, translation exercises, and creative writing exercises. Each topic also benefits from a curated selection of authentic news videos, which can be accessed at www.routledge.com/9781032044460.

Ideal for use in Media Arabic courses, this book can also be used as a self-study resource for advanced level students.

Jonas Elbousty holds MPhil and PhD degrees from Columbia University. He teaches in the Department of Near Eastern Languages and Civilizations at Yale University, where he serves as Director of Undergraduate Studies and Director of the Summer Study Abroad Program in Rabat, Morocco. He is the co-editor of *Vitality and Dynamism: Interstitial Dialogues of Language, Politics, and Religion in Morocco's Literary Tradition* (2014) and the co-author of *Advanced Arabic Literary Reader* (2016).

MEDIA ARABIC

MEDIA ARABIC

Journalistic Discourse for Advanced Students of Arabic

Jonas Elbousty

Routledge
Taylor & Francis Group

LONDON AND NEW YORK

First published 2022
by Routledge
2 Park Square, Milton Park, Abingdon, Oxon OX14 4RN

and by Routledge
605 Third Avenue, New York, NY 10158

Routledge is an imprint of the Taylor & Francis Group, an informa business

© 2022 Jonas Elbousty

The right of Jonas Elbousty to be identified as author of this work has been asserted by him in accordance with sections 77 and 78 of the Copyright, Designs and Patents Act 1988.

All rights reserved. No part of this book may be reprinted or reproduced or utilised in any form or by any electronic, mechanical, or other means, now known or hereafter invented, including photocopying and recording, or in any information storage or retrieval system, without permission in writing from the publishers.

Trademark notice: Product or corporate names may be trademarks or registered trademarks, and are used only for identification and explanation without intent to infringe.

British Library Cataloguing-in-Publication Data
A catalogue record for this book is available from the British Library

Library of Congress Cataloging-in-Publication Data
A catalog record for this book has been requested

ISBN: 978-1-032-04450-7 (hbk)
ISBN: 978-1-032-04446-0 (pbk)
ISBN: 978-1-003-19323-4 (ebk)

DOI: 10.4324/9781003193234

Typeset in Times New Roman
by Apex CoVantage, LLC

Access the Support Material: www.routledge.com/9781032044460

In loving memory of Nadia Boufrouri (1964–2018)

CONTENTS

ACKNOWLEDGMENTS

This book would have not seen the light of day it if were not for the authors and media producers' willingness to grant copyright permissions to include their work in this book. Thus, I am very grateful to each one of them.

The contents presented in this book are the outcome of a class I taught at Yale. Some of the texts here were taught to my students, and the enriching conversations emanating within the classroom setting have tremendously helped in shaping this project. Thus, I am thankful to those brilliant minds whose dedication to learning and knowledge seeking never ceases to amaze me.

I would like to express my thanks and gratitude to Afaf Tamim for her unwavering support and assistance with this project. Her comments on each draft have enriched this work. I'd also like to thank Nida Kiali for reading this work at a later stage and offering substantive feedback and suggestions. I am grateful for her assistance with the videos included in each unit. These two individuals have been my cheerleaders throughout this project. I also thank Dr. Karima Belghiti for reading a final version of this work. The reviewers offered excellent feedback, and I am grateful to them and to other individuals who commented on some of the units.

I am also grateful to Roger Allen for agreeing to author the Foreword to this work. I am indebted to him for his continued support, generosity, and assistance. His patience with my endless emails seeking advice about many projects is invaluable.

Samantha Vale Noya offered invaluable support and guidance throughout this process, and I am immensely grateful to her. Her professional demeanor and amazing work ethics are outstanding. I'd also like to thank Rosie McEwen and the editorial team at Routledge for bringing this project to life.

I beg forgiveness of all those who have contributed to this project and whose names I have failed to mention.

Every effort has been made to contact copyright holders. If any have been inadvertently overlooked, the publisher will be pleased to make the necessary arrangement at the first opportunity.

FOREWORD

As co-coordinators of Arabic-language programs know very well, the question as to what is to follow *Al-Kitab*, the proficiency-inspired multi-semester sequence of volumes (first published in 1995), and other syllabi with similar goals of instruction is one of long standing. Of necessity, the next phase needs to involve not merely consideration of the sequencing and prioritization of teaching and learning of language skills, but also, within the broader cultural context, the need to expand the topic-matter of the materials included so as to reflect both the diverse disciplinary interests of the student-learners and, equally important, the enormous variety of political and cultural phenomena that is needed in order to provide an authentic reflection of today's Arabic-speaking world—in President Nasser's well-known phrase, "from the [Atlantic] Ocean to the [Arabian] Gulf."

Ever since the beginnings of the so-called "proficiency-movement" in the 1980s and the publication and refinement of ACTFL's language-specific Proficiency Guidelines, the issues involved in the learner's progress from the Intermediate to Advanced and Superior levels on the ACTFL scale have been the focus of a good deal of research, experiment, and application at those institutions that are able to offer teaching and learning opportunities at those levels. On the national scenario, the two government-funded Arabic Flagship initiatives—currently at Indiana University and the University of Arizona—have clearly offered opportunities for such experimentation and research, especially in simulated authentic situations involving the appropriate usage of the standard and colloquial forms of the language.

The organizing principles involved in Jonas Elbousty's book, *Media Arabic: Journalistic Discourse for Advanced Students of Arabic*, and expounded in his Introduction, make clear that he is well acquainted with the issues and opportunities involved in language-teaching and -learning at these levels. He has selected ten major topics spread over a number of academic disciplines, all of them of maximal relevance to contemporary debates regarding the Arabic-speaking world and its significance within broader global discussions and controversies. For each major theme, three separate texts and sub-topics have been selected, each providing context and vocabulary for the practice of the different language-skills in both class-based and individual activities. Particularly useful in the context of skill development are suggested activities devoted to both listening and writing—they being two skills that, in the preparation of syllabi, are often downplayed in the context of the obviously desirable focus on reading and speaking as more immediately applicable academic skills.

With the topics and methodology of teaching and learning thus established, the reader does an admirable job of providing activities and suggestions for further investigation and discussion that will enhance the learning experience. While the exercises and activities included are obviously intended for implementation within a course and classroom that adopts the framework of the syllabus itself, another valuable function that they serve is to suggest to the instructor of the course further ways in which learners can be exposed to the complexities of today's Arabic-speaking world through the introduction of the latest and most up-to-date examples of commentary on the realities of life in the many and varied nations and countries involved.

Media Arabic: Journalistic Discourse for Advanced Students of Arabic provides teachers and learners of Arabic at the higher levels of language-acquisition with an excellent syllabus for use in academic programs of study. It also serves as a model for the preparation of further modules and syllabi that will obviously be needed as interest in the Arabic-speaking world continues and as the countries, nations, and regions involved plot their own courses through the inevitable processes of change and adaptation to factors both local and global.

ROGER ALLEN
Professor Emeritus of Arabic and Comparative Literature,
University of Pennsylvania
ACTFL National Trainer of Proficiency Testers in Arabic, 1986–2002

INTRODUCTION

Emphasizing the active usage of Arabic, *Journalistic Discourse in Arabic* aims to contribute to the development of advanced-level competence in the fundamental skills of listening, speaking, reading, and writing. It is designed for students who seek to expand their knowledge about contemporary events and issues in the Middle East. As part of that process, it includes a wide variety of articles dealing with current events and issues within the Arabic-speaking world. Materials include news articles and broadcasts from recognized publication media.

The selected topics are introduced in ten chapters, each of which consists of three separate units that offer discussions of the chapter's main focus. They examine pressing issues in the Arab world, including the Arab uprisings and their aftermaths, migrants and migration, the role of women, religion and sectarianism, and the Covid-19 pandemic.

Upon completing the reader, students should have achieved a high advanced level in Arabic, enabling them to use different language skills in a variety of contexts.

Objectives

The reader aims to introduce students to events and issues, with the goal of enhancing their knowledge of past, current, and future challenges that confront the Arabic-speaking world. The diverse body of media articles presented in this reader aims to foster the students' critical thinking skills. By the end of the reader, students will have:

- Acquired knowledge on important topics pertinent to the Arabic-speaking world and their implications on an international level;
- Enhanced cross-cultural understanding;

DOI: 10.4324/9781003193234-1

- Had their awareness raised about important work being done in the Arabic-speaking world;
- Developed their linguistic skills to enable them to analyze and be engaged in rich debate on a variety of topics.

Methodology and pedagogy

Through a multidisciplinary, practical approach, students will be asked to engage with real authentic language through a range of articles published in various Arabic news outlets. The reader will enable them to interact with the text through a variety of drills that targets different skills. It is recommended that the reader be taught over an academic year. However, some instructors may prefer to use it in one semester.

The key to success in this class lies equally in the hands of students and instructors. *Journalistic Discourse in Arabic* follows the communicative approach to language learning and teaching. Prior to each class, students are required to prepare for the session and be ready to engage in each activity. It is recommended that students read each article at home, examining the vocabulary presented in the Arabic-English glossary and reflecting on the topics discussed in each unit. The students' preparation prior to class will enrich the classroom session.

Discussion and comprehension

During class, instructors can assess the students' comprehension by their answers to the comprehension/discussion questions. The instructions in this exercise ask for a small discussion group where students use their previous knowledge about a topic. Comprehension questions assess students' understanding of the main points discussed in the article under study. Instructors act as facilitators, monitoring classroom activities. When this activity is over, instructors are encouraged to start a group discussion to address each question. Implementing in-class discussions increases students' interests in the material, enhances comprehension, fosters students' engagement, and assists students in developing their interpersonal and intrapersonal communication skills.

Vocabulary

Two different exercises have been developed with a particular focus on vocabulary acquisition and expansion. The first exercise asks the students to fill in the blanks to test their application of vocabulary in context; this exercise should be assigned as homework. Instructors can share the answer key with students for self-assessment. The next vocabulary drill asks students to match words with their synonyms. This exercise encourages and enhances students' vocabulary building, using Arabic-Arabic resources such as Arabic-Arabic dictionaries. Overall, these types of exercises seek to develop and expand the learners' lexicon.

Discussion and conversation

Students are asked to engage in a discussion pertinent to topics/issues about the Arab world. It is recommended that instructors divide the students into three groups and assign each group a question. Within each group, students should select one person to report to the whole class. After each presentation, members of the other groups, along with the instructor, should ask follow-up questions to enrich the discussion. The intention with the inclusion of this activity is to invite students to think beyond the text.

Translation

Students are asked to translate the passage listed in the translation activity from Arabic into English. The main objective of this exercise is to train students to experiment with the art of translation in order to convey the meaning presented in the source passage to English readers. That process forces the students to think about the complexity of the art of translation.

Writing

In this exercise, students are given the opportunity to respond to one of the three prompts provided in the composition section. Each topic deals with an important theme and/or issue discussed in the articles. This task aims to improve the students' writing skills. Thus, in this process the students should apply the unit's vocabulary, compose a thesis, develop an argument, and learn how to signpost their argument in their short paper.

Listening

Embracing technology does not only reflect a real-life skill, but it also becomes an essential pedagogical tool in second-language acquisition. In this activity, students need to follow a link to a brief news report relevant to the content of each article. They are required to engage in a small group discussion reflecting on the content of this video. It is also recommended that instructors utilize virtual platforms such as Canvas to initiate online discussions.

1

REFUGEES AND STATELESSNESS
اللاجئون وعديمو الجنسية

UNIT 1: اللاجئون، ما بين الرفض والاستيعاب

ما هي أسباب عدم استقبال دول الخليج النفطية للاجئين؟

بقلم: شريف بيبي. نشر بتاريخ 29 سبتمبر 2017

في الوقت الذي تكافح فيه بلدان القارة العجوز لاستقبال الأعداد الهائلة من المهاجرين واللاجئين من مختلف بقاع الأرض، تبرز دول الخليج العربي النفطية الغنية كبلدان قادرة على احتواء أعداد كبيرة من اللاجئين في الشرق الأوسط، إلا أن الأرقام تكشف أن تلك الدول مازالت تقف على الحياد نحو استقبال لاجئين سوريين على الأخص. فما الذي تقوم به هذه الدول للمساهمة في مواجهة هذه الأزمة؟

تعتبر دول الخليج العربي النفطية هي الأغنى بين مثيلاتها في المنطقة. فبالإضافة إلى تفوقها الاقتصادي، يُنظر إليها على أنها المكان المثالي الذي يجب أن يتوجه إليه اللاجئون السوريون نظراً لاشتراكها معهم في اللغة والعادات، وعلى الرغم من هذه المعطيات، فهي لا تستقبل لاجئي سوريا التي تمزقها الحرب منذ سنوات.

وفقاً لمعطيات المفوضية السامية لشؤون اللاجئين، استقبلت الدول الخليجية بضع مئات من اللاجئين، في الوقت الذي تحملت فيه الدول المحيطة بسوريا، تركيا والعراق ولبنان والأردن، عبء استقبال 5 ملايين لاجئ. رقم هائل بالنظر إلى قدرات تلك البلدان الاقتصادية مقارنةً مع قدرة دول الخليج.

"الإخوة السوريون" وليس لاجئون سوريون

لا تعتبر المملكة السعودية السوريين بمثابة لاجئين، بل تعتمد تسميتهم بالجالية السورية أو "الأخوة السوريين". ووفقا لبيان صحفي للخارجية السعودية، تم اعتماد

DOI: 10.4324/9781003193234-2

هذه المقاربة "للحفاظ على كرامة وسلامة الأخوة السوريين". السوريون في المملكة لا يسكنون في مخيمات، ولديهم حرية التنقل، ويستطيعون الاستفادة من الخدمات الصحية والتعليمية التي تقدمها الدولة.

وتشير المملكة إلى أنها دعمت اللاجئين السوريين في الأردن ولبنان ودول أخرى عبر المساعدات الإنسانية التي قدمتها لهم والتي تقدر بـ 700 مليون دولار.

مصدر في الخارجية السعودية، فضل عدم الكشف عن اسمه، قال لمهاجر نيوز إن "المملكة فضلت عدم التباهي بما تقوم به تجاه أزمة اللاجئين السوريين، إلا أنها تؤثر الإضاءة على تلك الجهود حالياً، خاصةً بعد انتشار التقارير الخاطئة حول موقفها من الأزمة بشكل عام"، وفق تعبيره.

هجرة اقتصادية

قبل اندلاع الحرب السورية، كان هناك أكثر من 100 ألف سوري يعملون في المملكة السعودية، ونتيجة الأحداث في سوريا، سمحت لهم السلطات بجلب عائلاتهم كما سمحت لهم بالاستفادة من الخدمات الطبية والتعليمية.

إلا أن الأمر مختلف للملايين ممن اضطروا للهرب خارج سوريا، فأبواب الخليج موصدة بوجه هؤلاء. للدخول إلى أي من دول مجلس التعاون الخليجي، على السوري أن يكون بحوزته تأشيرة دخول وبطبيعة الحال جواز سفر، الأمر الذي يعد مستحيلا للأغلبية الساحقة من اللاجئين الهاربين من ويلات الحرب.

يُذكر أن الغالبية العظمى من السوريين الموجودين في الدول الخليجية اليوم هم من المهاجرين، الذين اختاروا الذهاب إلى تلك الدول طواعية بهدف العمل، التي تؤكد أن طاقتها لا تسمح لها باستيعاب عدد كبير من اللاجئين، ويشرح رئيس تحرير صحيفة "العرب" القطرية عبد الله العذبة أن "قطر بلد صغير يقدم تبرعات للاجئين في الأردن وتركيا وشمال العراق"، مضيفا أن بلاده لا تستطيع أن تستقبل أعدادا كبيرة من اللاجئين وتفضل تقديم دعم مالي، مُرجعاً ذلك لأسباب لوجستية.

من جهته، قال أستاذ العلوم السياسية عبد الخالق عبد الله من الإمارات في تغريدة له، "أعداد الأجانب كاسحة، لدينا 90%، فهل تريد أن تحول السكان المحليين إلى أقليات في بلادهم؟". يشار إلى أن الإمارات تستقبل أعدادا كبيرة من الأيدي العاملة معظمها من دول جنوب شرق آسيا.

دعم المنظمات الإنسانية الدولية

تعتبر الدول الخليجية من الداعمين الرئيسيين للمنظمات الإنسانية الدولية. يقول أحد الخبراء في ملف اللاجئين السوريين في لبنان، فضل عدم الكشف عن اسمه، إن "دول الخليج تُفضل أن تقتصر مساهماتها تجاه أزمة اللاجئين على المساعدات المادية"، إلا أن هذه المساعدات يجب ألا تعفيها من تحمل جزء من عبء أزمة اللجوء.

ويضيف الخبير "إضافةً إلى المساعدات التي ترسلها للمنظمات الدولية، تعمل الدول الخليجية من خلال مؤسسات وجمعيات تابعة لها بشكل مباشر، حيث تقوم من خلالها بتقديم الدعم للاجئين في دول اللجوء، إلا أن تلك الجمعيات والمنظمات تعمل ضمن أجندات سياسية تابعة لأهواء الدول الخليجية".

" أفكار تدعو للثورة "

ووفقا للخبير، فلن تستقبل دول الخليج العربي أي لاجئين، مع الأخذ بعين الاعتبار الأوضاع السياسية والاجتماعية القائمة في تلك البلدان، حيث يعتبر السوريون هناك "عناصر مزعزعة للاستقرار".

وأكد أن السوريين بالنسبة للأجهزة الأمنية في تلك الدول المحافظة يشكلون خطرا سياسيا واجتماعيا، "يمكن للسوريين إذا ما جاؤوا بكثرة إلى المملكة السعودية على سبيل المثال، أن يبدأوا بتنظيم أنفسهم ضمن تشكيلات سياسية، فهؤلاء لديهم أفكار تدعو للثورة".

ويختم الخبير بالقول إن الحقيقة من عدم استقبال الدول الخليجية لاجئين هو خشيتها من انتقال ما تسميه "جرثومة الثورة" أو "الفوضى" إلى مجتمعاتها، لأن أولئك اللاجئين يمثلون حاضنة للثورة في بلدهم، وربما خشيت الحكومات من تأجيج مشاعر الشعوب الخليجية ضد حكوماتها.

لاجئون وعمال!

تستقبل الممالك والإمارات الخليجية 15 مليون عامل، معظمهم من شبه القارة الهندية، في الوقت الذي تعتبر فيه اليد العاملة المحلية أقلية. وبمقارنة النسب، تفوق أعداد العمال الأجانب أعداد السكان المحليين في كل من قطر والإمارات والكويت، في حين تشكل اليد العاملة الأجنبية 15% من مجمل المقيمين على الأراضي السعودية.

حاجة الدول الخليجية إلى الأيدي العاملة قد تشكل عامل ربح لها وللسوريين على حد سواء، إلا أن الدول الخليجية تفضل جلب الأيدي العاملة الآسيوية لما قد يشكله وجود السوريين من "خطر"، وفقا لنظرتها، خاصة مع مفاعيل ما عرف بـ "ثورات الربيع العربي" التي اجتاحت المنطقة في وقت سابق.

المفردات

كافح	struggled
بقاع الأرض	worldwide
احتواء / اندماج	containment/inclusion
الحياد	neutrality
الأزمة	the crisis
مثيلاتها	similar ones
المفوضية السامية لشؤون اللاجئين	High Commissioner for Refugees
التباهي / التفاخر	bragging
ويلات الحرب	scourge of war
اضطر	forced
العادات	habits

المعطيات	the data
المساعدات الإنسانية	humanitarian aid
تأشيرة	visa
تغريدة	tweet
كاسحة	sweeping

صِلوا الكلمات التالية بمرادفتها:

إمكان		كشف
مماثل		قدرة
أفشى		مهاجر
نازح		سبيل
مسلك		شبه

المفردات

املأوا الفراغ بالكلمة المناسبة:

الناحية	عادات	هائل	خبير	المقيم
مساهمة	الجالية	موصدة	ثورة	اجتاح

1. من .... المسلمين في رمضان تناول التمر وشرب الماء.
2. تتركز معظم .... اللبنانية في أمريكا في كل من ضواحي ديربورن ولوس أنجلس.
3. دكتور فاوتشي .... بفيروس كورونا.
4. إذا نظرنا إلى الأمر من .... الاقتصادية فسنجد أنّ شراء عقارات تجارية في ظل جائحة كورونا صفقة خاسرة.
5. ما هي أكثر شركة .... في دعم تعزيز الاقتصاد الأمريكي؟
6. كانت جدتي رحمها الله تترك أبوابها غير ....
7. حصلت لبنان على كم .... من المساعدات المالية والطبية بعد انفجار ميناء بيروت.
8. .... خبر استقالة رئيس الوزراء وسائل الإعلام العالمية.
9. لا نعرف من هو الشخص .... في هذه الشقة المجاورة.
10. صوت المرأة .... وليس عورة.

أسئلة الفهم

ناقشوا الأسئلة التالية في مجموعات لا تزيد عن ثلاثة طلاب:

1. ماهي الاختلافات الموجودة ما بين اللاجئين في السعودية والبلدان الاخرى؟
2. لماذا تتخوف دول الخليج من استقبال اللاجئين في أراضيها؟
3. هل يعد استقبال اللاجئين مكسباً اقتصادياً لدول الخليج؟ ولماذا؟
4. ماذا يقصد الكاتب بعبارة " جرثومة الثورة"؟
5. حسب السلطات السعودية، السوريون هم "عناصر مزعزعة للاستقرار." هل تتفق مع هذا الرأي؟

أسئلة المناقشة

ناقشوا الأسئلة التالية في مجموعات لا تزيد عن ثلاثة طلاب:

1. هناك عدة أنواع من اللجوء: السياسي، الديني، والانساني. ناقش مبيناً الفوارق بينها.
2. ما الفرق بين الهجرة واللجوء؟
3. لماذا في رأيك بعض الدول أكثر استضافة للاجئين من غيرها؟
4. ما هي أسباب الهجرة، وماذا ينتج عنها؟

الترجمة

ترجموا ما يلي إلى اللغة الإنجليزية:

لا تعتبر المملكة السعودية السوريين بمثابة لاجئين، بل تعتمد تسميتهم بالجالية السورية أو "الأخوة السوريين". ووفقاً لبيان صحفي للخارجية السعودية، تم اعتماد هذه المقاربة " للحفاظ على كرامة وسلامة الأخوة السوريين". السوريون في المملكة لا يسكنون في مخيمات، ولديهم حرية التنقل، ويستطيعون الاستفادة من الخدمات الصحية والتعليمية التي تقدمها الدولة.

الكتابة

اختاروا موضوعاً واحداً من المواضيع التالية و اكتبوا حوالي 150-200 كلمة:

1. يعاني النظام العالمي لحماية اللاجئين من الانهيار بسبب الأعداد المتزايدة من اللاجئين. اقترح بعض الحلول لحل هذه الأزمة أو التخفيف منها.
2. يمرّ اللاجئون بالكثير من المِحَن بسبب نكبتهم وبعدهم عن أوطانهم وأهلهم. عدّد التحديات الصحية والاجتماعية التي تواجه المهاجرين. تطرّق إلى أهمية تقديم الدعم والرعاية الصحية والنفسية والاجتماعية لهذه الفئة.

3. يعتقد البعض أن ازدياد عدد اللاجئين والمهاجرين كان سبباً مباشراً في بزوغ نجم الأحزاب اليمينية المتطرفة، وتصاعد الخطاب العنصري ضد المهاجرين والأقليات. هل صعود اليمين المتطرف مرتبط بازدياد الهجرة واللجوء؟ عبّروا عن رأيكم.

الاستماع والحوار

اذهبوا الى الرابط التالي و ناقشوا المواضيع التي تطرق إليها الفيديو:

https://www.youtube.com/watch?v=FzbBLfT8pRc

UNIT 2: اللاجئ في القانون الدولي
آليات الحماية الدولية للاجئين ومصداقيتها

بقلم: محمد الطراونة. نشر بتاريخ 10 أبريل 2010

تشكل قضية اللجوء والنزوح القسري إحدى أكثر القضايا إلحاحًا التي تواجه المجتمع الدولي، كون هذه الفئة من الناس الأكثر تماسًا مع المعاناة سواء كان ذلك نتيجة لصراع، أو اضطهاد، أو غير ذلك من أنواع انتهاكات حقوق الإنسان. لكن التحديات التي تواجه هذه القضية اليوم تحتاج إلى إعادة تقييم أشكال التعامل الدولي معها.

لم يتم النظر إلى قضية اللاجئين باعتبارها قضية دولية يتعين معالجتها، إلا في الفترة التي أعقبت الحرب العالمية الأولى وتحديدًا بعد إنشاء عصبة الأمم. وتقع المسؤولية الأولى لحماية اللاجئين ومساعدتهم على عاتق الدول، خاصةً بلدان اللجوء التي يفر إليها اللاجئون.

فنظرًا لاضطرار الكثير من الأشخاص إلى التخلي عن ديارهم، والتماس الأمان في أماكن أخرى هربًا من الاضطهاد والصراع المسلح والعنف السياسي، بدأ المجتمع الدولي يتعامل مع هذه القضايا، فصدرت الاتفاقية الدولية لعام 1951، ثم بروتوكول عام 1967 الذي ألغى القيود الجغرافية لجعل الاتفاقية أكثر اتساقًا وشمولًا، بحيث أصبحت تُركز على الجانب الإنساني لمشكلة اللاجئين.

وهذه التفرقة ما بين السياسي والإنساني، مكنت مفوضية الأمم المتحدة لشؤون اللاجئين من العمل في عصر الحرب الباردة وفي الفترات اللاحقة من الصراعات المسلحة على حد سواء.

ومن هنا تحددت الوظائف الأساسية للمفوضية باعتبارها ذات شقين، سياسي وإنساني. فزاد الاهتمام بقضايا اللجوء مع ازدياد أعداد اللاجئين في شتى أنحاء العالم، وأخذت سبل الحماية في الفترة الأخيرة أشكالًا جديدة. فبالإضافة إلى مسألة إعادة التوطين، أصبح هناك اهتمام بتوفير المساعدة المادية مثل الأغذية والمأوى، وكذلك توفير الرعاية الصحية والتعليم، وغير ذلك من الخدمات الاجتماعية.

إضافةً إلى ذلك، توسع نطاق المستفيدين من الحماية ليشمل، بالإضافة إلى اللاجئين، فئات أخرى مثل النازحين داخل حدود بلادهم، والعائدين (اللاجئين أو النازحين داخليًا الذين عادوا) وملتمسي اللجوء (الذين لم يتقرر بعد وضعهم الرسمي) والأشخاص عديمو الجنسية، والسكان المتأثرون بالحرب وغيرهم.

كما تزايد بصورة كبيرة عدد القوى الفاعلة والمنخرطة بالبرامج الهادفة إلى حماية اللاجئين والنازحين ومساعدتهم.

وفيما كانت الحماية الدولية لمشاكل اللجوء تتم في الماضي بطريقة رد الفعل، أخذت سبل الحماية منحى آخر حاليًا، قائمًا على الأخذ بالنهج الشامل لمواجهة مشكلة اللجوء والنزوح القسري، لا سيما مع بروز تحديات كبيرة تواجه مشكلة اللاجئين، لعل أهمها هي التحديات التي يفرضها تزايد النزاعات المسلحة، والطبيعة المتغيرة للنزاعات الدولية والمحلية (الداخلية)، والتحركات المتزايدة للسكان، والتحديات التي تواجه العمل الإنساني بشكل عام، بالإضافة إلى تقاعس المجتمع الدولي عن دعم المفوضية والبلدان المستضيفة للاجئين ماديًا.

كل هذه التحديات برأيي تقتضي مراجعة سُبل الحماية بالتعاون بين كافة الدول، وأن يتم التعامل مع مشكلة اللجوء كقضية إنسانية بالدرجة الأولى، بعيدًا عن أي اعتبارات أخرى.

حماية اللاجئين وفقًا للقانون الدولي الإنساني

من المعلوم أن القانون الدولي الإنساني هو فرع من فروع القانون الدولي العام، وهو حديث النشأة نسبيًا ويوفر سُبل الحماية الخاصة باللاجئين إذا كانوا تحت سُلطة أحد أطراف النزاع.

ففي حالة نشوب نزاع مسلح دولي، يتمتع مواطنو الدولة -بعد فرارهم من الأعمال العدائية واستقرارهم في بلد العدو- بالحماية بموجب اتفاقية جنيف الرابعة، على أساس أنهم أجانب يقيمون في أراضي طرف في النزاع. وتطالب الاتفاقية الرابعة البلد المضيف بمعاملة اللاجئين معاملة تفضيلية، والامتناع عن معاملتهم كأجانب على أساس جنسيتهم، كونهم لا يتمتعون بحماية أي حكومة.

كذلك يتمتع اللاجئون من بين مواطني أي دولة محايدة -في حالة إقامتهم في أراضي دولة محاربة- بالحماية بموجب اتفاقية جنيف الرابعة، في حالة عدم وجود علاقات دبلوماسية بين دولتهم والدول المحاربة.

وفي حال احتلال أراضي دولة ما، فإن اللاجئ الذي يقع تحت سلطة الدولة التي هو أحد مواطنيها يتمتع بحماية خاصة، إذ إن الاتفاقية الرابعة تحظر على دولة الاحتلال القبض على هذا اللاجئ، بل تحظر عليها محاكمته أو إدانته أو إبعاده عن الأراضي المحتلة.

وإذا كانت المفوضية التابعة للأمم المتحدة تقوم بإجراءات الحماية والمساعدة وفقًا للمعايير الدولية، فإن اللجنة الدولية للصليب الأحمر تقوم بالدور نفسه وفقًا لقواعد القانون الدولي الإنساني، ويقع على عاتقها مسؤولية مباشرة لمصير اللاجئين الذين هم الضحايا المدنيون للنزاعات المسلحة أو للاضطرابات، بحيث تتدخل اللجنة الدولية فيما يخص اللاجئين الذين يشملهم القانون الدولي الإنساني، لكي يطبق

المتحاربون القواعد ذات الصلة باتفاقية جنيف الرابعة، وتحاول في مجال عملها الميداني أن تزور هؤلاء اللاجئين وتوفر لهم سبل الحماية والمساعدة الضرورية.

وتشكل مسألة إعادة اللاجئين إلى أوطانهم أحد المشاغل الرئيسية للجنة الدولية. فهي حتى وإن لم تشارك كقاعدة عامة في عمليات إعادة اللاجئين إلى أوطانهم، إلا أنها تطلب من الدول والمنظمات المعنية أن تحدد بالضبط موعد وشروط عودتهم.

كما يحظر البروتوكول الثاني (المادة 17) الترحيل القسري للمدنيين، إذ لا يجوز الأمر بترحيلهم إلا بصفة استثنائية، وهذا ما نصت عليه المادة السابعة من النظام الأساسي للمحكمة الجنائية الدولية التي اعتبرت الترحيل القسري للسكان من قبيل الجرائم ضد الإنسانية.

حماية الأطفال اللاجئين

تعتبر المعاهدات الدولية مهمة للأطفال اللاجئين كونها تحدد المعايير الخاصة بحمايتهم. فعندما تصادق دولة ما على أي معاهدة دولية، فإن حكومة هذه الدولة تتعهد أمام المجتمع الدولي، بأنها سوف تسير وفقًا للمعايير والقواعد التي حددتها الاتفاقية. ومن بين هذه الاتفاقيات اتفاقية العام 1951 التي تضع المعايير التي تنطبق على الأطفال. إذ تعتبر أي طفل لديه خوف مبرر من التعرض للاضطهاد من جراء الأسباب التي أوردتها الاتفاقية يعتبر لاجئًا.

ونصت على عدم جواز إرغام أي طفل يتمتع بصفة اللاجئ على العودة إلى بلده الأم، كما تطرقت إلى عدم جواز التمييز بين الأطفال والراشدين في مجال الرعاية الاجتماعية والحقوق القانونية، وأقرت أحكامًا خاصة بتعليم الأطفال اللاجئين.

واتفاقية حقوق الطفل لعام 1989 هي المعاهدة التي تحدد المعايير الخاصة بالأطفال، وإن لم تكن معاهدة خاصة باللاجئين، إلا أن الأطفال اللاجئين مشمولون بأحكامها، أي جميع الأشخاص الذين لا تتجاوز أعمارهم 18 عامًا دون أي تمييز.

وقد اكتسبت اتفاقية حقوق الطفل أهمية خاصة بالنسبة للأطفال اللاجئين بسبب المصادقة شبه العالمية عليها.

ومن أجل رفاهية الأطفال اللاجئين، تحث المفوضية جميع الدول والوكالات الدولية والمنظمات غير الحكومية على احترام المعايير التي حددتها اتفاقية حقوق الطفل.

ومن أجل ذلك تبنت مؤتمرات القمة العالمية الخاصة بالأطفال بعض الأهداف، وأدرجت الأطفال اللاجئين بموجبها ضمن فئة الأطفال الموجودين في ظروف صعبة للغاية.

النساء وحق اللجوء

النساء هن أكثر فئات اللاجئين تعرضًا لانتهاك حقوقهن، ويتعذبن بصورة خاصة في حالات النزاعات المسلحة التي يحرم فيها الأفراد من ممارسة أغلبية حقوقهم الأساسية، ولا يتمكنون فيها من الاعتماد إلا على الحماية التي يمنحها لهم القانون الدولي الإنساني.

وقد أثرت الحركة الرامية في تحقيق الاعتراف بالمساواة في الحقوق بين الرجال والنساء، على الاتفاقيات الخاصة بحقوق الإنسان والقانون الدولي الإنساني.

ففي العام 1979 اعتمد المجتمع الدولي اتفاقية القضاء على جميع أشكال التمييز ضد المرأة، التي انضمت إليها حتى الآن الغالبية العظمى من دول العالم. وتطرقت هذه الاتفاقية لكافة الأحكام الخاصة بحماية المرأة، والتي يمكن الإحالة إليها في حال وجود

المرأة في أماكن اللجوء، وفي الوقت نفسه يمكن إعمال اتفاقيات جنيف الأربع لعام 1949 التي تطرقت لضمان حماية النساء الحوامل والأمهات المرضعات.

أما ضمان حماية اللاجئات، فلا يتطلب الالتزام بمعاهدة 1951 والبروتوكول الملحق بها فحسب، بل أيضًا الالتزام بالصكوك الدولية الأخرى كونها تقدم إطار معايير دولية لحقوق الإنسان من أجل الاضطلاع بأنشطة حماية ومساعدة متعلقة باللاجئات.

وهناك طائفة من الحقوق يجب مراعاتها -خصوصًا إذا كانت الفئة المستهدفة هي النساء- كحظر كافة أشكال العنف الجنسي، كالاغتصاب والرق الجنسي وأعمال الدعارة في أماكن اللجوء وأثناء فترة النزاعات المسلحة، مع الأخذ بعين الاعتبار المبادئ التوجيهية التي أقرتها الأمم المتحدة للوقاية منها والتصدي لها. كما يجب العمل على لم شمل الأسر المشتتة في أماكن اللجوء، خصوصًا المرأة المتزوجة وأطفالها.

وهناك ضرورة للعمل على تأمين الإجراءات القانونية فيما يتعلق بالمرأة الحامل، من حيث ضمان الصحة الإنجابية وتسمية المولود وتسجيله. بالإضافة إلى ذلك، من المهم وضع البرامج المدروسة فيما يتعلق بالصحة والتغذية والرعاية الاجتماعية والتعليم والتأهيل.

التحديات أمام قضية اللجوء ومصداقيتها

مع دخولنا الألفية الثالثة، وما نشهده من تأثيرات ومتغيرات عديدة، لعل أبرزها العولمة وأحادية القطب وتزايد حالات النزاع المسلح، لا نلاحظه في قضية اللجوء، التي يبدو أنها بعيدة عن تلك المتغيرات. فالالتزام السياسي الذي أظهره المجتمع الدولي في التصدي للجوء والنزوح القسري في بعض البلدان، ظل غائبًا في بلدان أخرى.

بل وتتخذ الكثير من دول العالم اليوم التدابير التقييدية على نحو متزايد لردع اللاجئين. إذ قامت العديد من البلدان بالتنسيق فيما بينها لغايات الحد من قدوم اللاجئين إليهم، من دون أن يترافق ذلك مع بحث عن حل للأسباب التي دفعت هؤلاء اللاجئين إلى ترك بلدانهم. وهي سياسات أدت في بعض الأحيان إلى وصم اللاجئين بأنهم أناس يحاولون التحايل على القانون.

ولمعالجة هذه التحديات، يجب على المجتمع الدولي أن يدرك أن ملتمسي اللجوء والنازحين دفعتهم أخطار وأسباب خارجة عن إرادتهم للبحث عن مكان آمن، وأن الدول معنية بتطبيق الالتزامات المفروضة على عاتقها بموجب الاتفاقيات الدولية، الأمر الذي يقتضي التعامل مع قضية اللاجئين بأبعادها الإنسانية بعيدًا عن المتغيرات السياسية.

من هنا تبدو مصداقية هذه الآليات اليوم على المحك خصوصًا في ضوء تعامل المجتمع الدولي مع قضية اللاجئين العراقيين. فنحن نرى أن هناك تقاعسًا من الدول عن القيام بمسؤولياتها كدول احتلال والتسبب بمشكلة اللجوء. كما أن هناك عدم توفير للدعم المالي الكافي للمنظمات الدولية التي تتعامل مع قضايا اللجوء للقيام بواجباتها على النحو المنشود، بالإضافة لغياب الدعم للدول المستضيفة لأعداد كبيرة من اللاجئين وخصوصًا الدول التي تعاني أصلاً من أزمات اقتصادية.

المفردات

النزوح / التهجير القسري	forced displacement
انتهاكات	violations
أعقبت	following
التخلي / إهمال	abandonment
مفوضية الأمم المتحدة لشؤون اللاجئين	United Nations High Commissioner for Refugees
شقين	two splits/sides
مأوى	shelter
ملتمسي اللجوء	asylum seekers
بروز / انبثاق	appearance/emergence/bulge
تقاعس	laggardness
سُبل	ways
نشوب	outbreak
معاهدة	treaty/agreement
صراع / نزاع	conflict
التمييز	discrimination
الصكوك الدولية	international legislation
يضطلع / يسيطر	take over
الاغتصاب	rape
الرق الجنسي / الاتجار الجنسي	sex trafficking/sexual slavery
الدعارة	prostitution
التصدي / مواجهة	pushing back/tackle

صِلوا الكلمات التالية بمرادفتها:

زمن		يحظر
اتفاقية		عصر
يمنع		نشوب
بداية		انتهاك
تعدي		معاهدة

المفردات

املأوا الفراغ بالكلمة المناسبة:

الذروة	السامية	ملهمة	الاضطهاد	الاقتضاء
متساو	نطاق	ممنوحة	مضيفة	سطحية

1. تعاني بعض الأقليات في العالم من أشكال عديدة من .... الديني، والعرقي، والاثني، وغيرها.
2. العربية والعبرية والأمهرية من اللغات ....
3. .... في العمل الأدبي هي نقطة التحول في العمل السردي.
4. كانت عبلة حبيبة و .... عنترة بن شداد.
5. لا يجب النظر إلى قضايا اللاجئين بطريقة ....
6. قال وزير العدل المصري" إنّه عند .... لن يثنيه أيّ شيء عن تطبيق القانون كاملًاوبشكل حازم".
7. يهدف مشروع مجتمع .... إلى تعزيز مكانة ذوي الاحتياجات الخاصة في المجتمع العام.
8. تسعى المدارس العربية إلى توسيع .... التعليم الإجباري على صعيد الدولة.
9. هذه أرض سكنية .... للأزواج الشابة.
10. قالت وزارة الخارجية الفرنسية، إنّ الإمارات ألقت القبض على باحث بريطاني، .... أنها لم تحصل بعد على "معلومات مرضية" عن وضعه الصحي.

أسئلة الفهم

ناقشوا الأسئلة التالية في مجموعات لا تزيد عن ثلاثة طلاب:

1. اذكر الأسباب التي قد تدفع البعض إلى ترك بلدانهم واللجوء إلى دول أخرى؟
2. ما هي الاتفاقيات الدولية التي تضمن الحماية لكل من طالبي اللجوء والأطفال والنساء؟
3. هل يجوز ترحيل وإعادة اللاجئين إلى مسقط رأسهم؟ لماذا؟
4. من هي الفئة المستهدفة من النساء؟
5. ما هي التحديات القائمة أمام قضية اللجوء ومصداقيتها؟

أسئلة المناقشة

ناقشوا الأسئلة التالية في مجموعات لا تزيد عن ثلاثة طلاب:

1. ما الفرق بين اللاجئ والنازح؟
2. ناقشوا معاناة اللاجئين في بلدانهم وفي البلدان التي ينزحون إليها.

3. في رأيكم ما مدى نجاعة البروتوكولات الدولية القائمة على حماية اللاجئين؟ وهل فشلت المجتمعات الدولية في توفير الأمان والسلامة لهذه الفئة؟ علّلوا اجابتكم.
4. هل يجب إعادة اللاجئين إلى بلدانهم في حال انتهاء النزاعات؟

الترجمة

ترجموا ما يلي إلى اللغة الإنجليزية:

ففي حالة نشوب نزاع مسلح دولي، يتمتع مواطنو الدولة بعد فرارهم من الأعمال العدائية واستقرارهم في بلد العدو بالحماية، بموجب اتفاقية جنيف الرابعة، على أساس أنهم أجانب يقيمون في أراضي طرف في النزاع. وتطالب الاتفاقية الرابعة البلد المضيف بمعاملة اللاجئين معاملة تفضيلية، والامتناع عن معاملتهم كأجانب على أساس جنسيتهم، كونهم لا يتمتعون بحماية أي حكومة.

الكتابة

اختاروا موضوعاً واحداً من المواضيع التالية و اكتبوا حوالي 150-200 كلمة:

1. ما هي التحديات التي تواجه الاتحاد الأوروبي بخصوص الأشخاص عديمي الجنسية؟ وما هي المقترحات التي تقدمها للاتحاد الأوروبي للتعامل مع هذه الحالات؟
2. هل اللجوء السياسي حل لأزمة المهاجرين النازحين من بلدهم الأصل؟ هل عملية الحصول على اللجوء السياسي صعبة؟ ما هي الشروط والمعايير اللازمة للحصول على اللجوء السياسي؟
3. اقترحوا بعض التعديلات على مفوضية اللاجئين لضمان حقوقهم على الصعيد الدولي.

الاستماع والحوار

اذهبوا الى الرابط التالي و ناقشوا المواضيع التي تطرق إليها الفيديو:

https://www.youtube.com/watch?v=LATqBB_VLms

UNIT 3: رِهاب اللاجئين

المخاوف الأردنية وحقوق اللاجئين

بقلم: نضال منصور. نشر بتاريخ 30 يونيو 2018

تحدث وزير الخارجية أيمن الصفدي بكل وضوح عن المعارك الدائرة في الجنوب السوري والأخطار التي تهدد الأردن، بعد لقائه الأمين العام للأمم المتحدة أنطونيو غوتيرس.

الموقف الأردني الذي أكده الصفدي، يتلخص بأن عمان لا يجوز أن تتحمل وحدها وزر الأزمة السورية، وأن المجتمع الدولي مطالب بأن يتحمل مسؤولياته السياسية

والإنسانية والأخلاقية، وأن الأردن مع وقف إطلاق النار في الجنوب السوري، وتوفير الحماية للشعب السوري، وتأمين المساعدات له على أرضه، والتمسك باتفاقية خفض التصعيد التي انهارت.

يتابع الصفدي حديثه "1.3 مليون لاجئ سوري على الأراضي الأردنية نشاركهم لقمة الخبز، وتحملنا كل ذلك بصدر رحب، ولا يجوز الضغط على الأردن لفتح حدوده، بل يجب مساءلة من تسبب بالأزمة، وقبل أن نتحدث عن التهجير، علينا أن نتحدث عن حمايتهم على أرضهم."

كلام الصفدي واضح، فهو لا يريد أن يبقى الأردن الحلقة أو الطرف الأضعف في المعادلة، فطوال الأزمة السورية تلقى الوعود بمساعدات لم تأتِ، وعمل بجد لدعم تسوية سياسية ومصالحة، لكن لحتى الآن لم تنجح.

ما يحدث الآن هو أن الجيش السوري يستعجل الحسم العسكري في الجنوب، وأن قادة روسيا يفاوضون القرى في ريف درعا الشرقي للقبول بالتسوية والمصالحة، وتسليم كل أسلحتهم الثقيلة فوراً، بينما يتوعدهم مصدر عسكري سوري "إما القبول بالتسوية والمصالحة أو سحق الجيش بالقوة للمعارضين."

اتفاقية خفض التصعيد التي كان الأردن طرفاً أساسياً فيها مع الروس والأمريكان، أصبحت من الماضي ودفنت، وهذا يؤشر إلى تفاهمات غير معلنة بين الروس والأمريكان، ورغم الانتقاد الأميركي للتدخل الروسي، فإن الأمر لا يعدو "زوبعة في فنجان"، فالمهم في سياق الاتفاق هو صيانة وحماية أمن إسرائيل بضمان بقاء أي قوات إيرانية أو ميليشيات تابعة لها بعيدة عن الحدود الإسرائيلية.

إذن الأردن في الحسابات الدولية الأميركية والروسية وطبعاً الإسرائيلية غير محسوب حسابه، ولا تُطرح مخاوفه باعتبارها أولوية، والدبلوماسية الأردنية النشطة التي تحذر من التهجير القسري، وفشل التسوية، واحتمالات تمدد القوى الإرهابية لأراضيه لا تُسمع جيداً وإن سُمعت يتم تجاهلها.

في خضم هذه الأزمة يتعالى صوت الناشطين في الأردن برفض التعاطي مع سياسة الأمر الواقع، ورفض تغليب حسابات السياسة على حسابات حقوق الإنسان، فتصدر "هاشتاج" "افتحوا الحدود"، فهل هذا مطلب واقعي وعادل؟

حقوق الإنسان لا تتجزأ، والأردن دولة تحترم حقوق الإنسان، وعليها أن تقبل بهذا الاستحقاق وأن تفخر بذلك، فحق الحياة والأمان للاجئين يتقدم على المخاوف السياسية والاقتصادية، وطالما نجحنا في تقاسم لقمة الخبز مع إخوتنا السوريين، وفتحنا قلوبنا وبيوتنا لهم، فعلينا أن نستمر.

معروف أن الأردن وقع على مذكرة تفاهم مع مفوضية اللاجئين منذ 1998 وتنص على "وجوب احترام مبدأ عدم طرد أو رد أي لاجئ يطلب اللجوء للأردن بأي صورة الى الحدود أو الإقليم حيث تكون حياته أو حريته مهددتين"

مطلوب أن نتشارك مع المجتمع الدولي في التفكير في إيجاد حلول آمنة للسوريين داخل الأراضي السورية، وهل هذا الخيار ممكن التطبيق، أم أصبح متأخراً ولا يمكن تطبيقه؟

وأيضاً هل يمكن أن تفرض القوات الأميركية والروسية ممرات آمنة للنازحين لينتقلوا إلى مناطق آمنة في الداخل السوري، وتقدم لهم المساعدات الإنسانية؟

من الأسئلة المهمة التي يجب ألا نغفلها، كيف نضمن ردع الجماعات الإرهابية على حدودنا حتى لا تتكرر مأساة مخيم الركبان، فنضمن سلامة بلدنا وجنودنا وجيشنا، وكيف نستطيع أن ندقق في هوية النازحين إن فتحنا الحدود للتأكد ألا يتسرب معهم الإرهابيون؟!

الواقع مر وصعب، ومخاوف الدولة الأردنية مشروعة بعد خذلان المجتمع الدولي، ولكن علينا أن نعلي صوت حقوق الإنسان.

المفردات

وضوح	clarity
المعارك	battles
توفير / تخصيص	provide/provision
خفض / تقليل	scaling down/lessening
المعادلة (في هذا السياق: الوضع)	the equation (in this context: the situation)
الحسم العسكري	military resoluteness
إعصار (زوبعة في فنجان)	cyclone (whirlwind in a cup)
الإرهابية	terrorist
خضم / وسط	midst
الإقليم	territory
التطبيق	application
قادة	leaders
احتمال	probability
لقمة الخبز	bite of bread/make a living
نغفلها / نتجاهلها	ignore it
يتسرب	leaks

صِلوا الكلمات التالية بمرادفتها:

وضوح		تراضي
دعم		مساندة
تسوية		ملتجأ
ملاذ		تسلل
تسرب		شفافية

المفردات

املأوا الفراغ بالكلمة المناسبة:

مساءلة	انتقاد	الاستحقاق	آمنة	الهوية
فوراً	الخوف	لقمة	مهدد	الخدلان

1. لا تكف كل من أوروبا وأمريكا عن......... المملكة العربية السعودية لانتهاكها حقوق الإنسان.
2. تعهدت السعودية بإيقاف الهجمات على صنعاء ....!
3. تلجأ العديد من النساء إلى بيع جسدهن، من أجل توفير .... العيش لعائلاتهن.
4. قام الكونغرس الأمريكي بـ .... عدد من الأفراد فيما يخص قضية الرئيس ترامب.
5. تهدد مسألة فقدان .... عدداً لا بأس به من اللاجئين المقيمين في أوروبا.
6. ناقشت الأمم المتحدة موضوع .... والقلق، وكيفية مساعدة الأطفال في أفريقيا.
7. قال بورس جونسون إنّ جميع اللقاحات المستخدمة في البلاد .... وسقاوستها مؤكدة.
8. حيوان وحيد القرن .... بالانقراض بسبب استخدام قرونه في العلاجات المختلفة.
9. آخر موعد لتقديم .... الضريبي في أمريكا هو الخامس عشر من أبريل.
10. ما هي أفضل طريقة للتخلص من حالة .... الناتجة عن العلاقات العاطفية الفاشلة؟

أسئلة الفهم

ناقشوا الأسئلة التالية في مجموعات لا تزيد عن ثلاثة طلاب:

1. ما هو موقف الأردن فيما يخص أزمة اللاجئين؟
2. من هم اللاجئون الزاحفون الى الأراضي الأردنية؟ ما جنسيتهم؟
3. لماذا لا تعد مطالب الأردن من الأولويات ويتم تجاهلها من طرف الدول الكبرى؟
4. كيف سعى الناشطون إلى إيصال أصواتهم وتحقيق مطالبهم؟
5. ما هي المخلفات المأساوية التي يسببها التسرب العشوائي للاجئين؟

أسئلة المناقشة

ناقشوا الأسئلة التالية في مجموعات لا تزيد عن ثلاثة طلاب:

1. هل المطالبة بوقف استخدام النظام السوري للوسائل التدميرية كاف للحد من هروب وهجرة المواطنين السوريين؟

2. المصاعب المالية تسبب مشاكل نفسية واجتماعية لبعض اللاجئين. أين تتجلى مظاهرها؟
3. كيف يتعامل الناشطون في الأردن مع الأمر الواقع؟
4. كيف أثرت أزمة اللاجئين السوريين على الأمن الدولي في الأردن خاصة، والشرق الأوسط عامة؟

الترجمة

ترجموا ما يلي إلى اللغة الإنجليزية:

حقوق الإنسان لا تتجزأ، والأردن دولة تحترم حقوق الإنسان، وعليها أن تقبل بهذا الاستحقاق وأن تفخر بذلك، فحق الحياة والأمان للاجئين يتقدم على المخاوف السياسية والاقتصادية، وطالما نجحنا في تقاسم لقمة الخبز مع إخوتنا السوريين، وفتحنا قلوبنا وبيوتنا لهم، فعلينا أن نستمر.

الكتابة

اختاروا موضوعاً واحداً من المواضيع التالية و اكتبوا حوالي 150-200 كلمة:

1. التعامل مع أزمة اللاجئين تختلف من بلد الى آخر، من ضمن المخاوف هي انتشار الإرهاب مع استضافة اللاجئين. هل هذه المخاوف مبررة؟ وما هي علاقة اللاجئين بالإرهاب؟
2. النقاشات المطولة تضم فقط التأثير السلبي للحرب السورية على الدول المجاورة كالأردن ولبنان، لكن ما لا يتم التحدث عنه بنفس القدر هو الفوائد الاقتصادية للحرب. ابرزوا فوائد استضافة اللاجئين على اقتصاد هذه الدول.
3. هل أصبحت الحرب في سوريا حَلبة لصراعات القوى الأجنبية؟ عبّروا عن رأيكم.

الاستماع والحوار

اذهبوا الى الرابط التالي و ناقشوا المواضيع التي تطرق إليها الفيديو:

https://www.youtube.com/watch?v=1xazUh7PA4g

2

WOMEN AND SOCIETY
المرأة والمجتمع

UNIT 1: المرأة في العالم العربي

وضع المرأة في العالم العربي ـ لا صلاح لمجتمع نصفه مهمش ومضطهد

بقلم: عبد الحميد صيام. نشر بتاريخ 20 نوفمبر 2013

العنف ضد المرأة ظاهرة عالمية لا ينجو منها أي مجتمع من المجتمعات، سواء في الدول النامية أو المتقدمة أو الأقل نموا. وقد سجلت الأمم المتحدة أن النسبة تتراوح من 16% في اليابان إلى 76% في إثيوبيا، هذا قبل ثورات الربيع العربي التي دفعت النسب في بعض الدول العربية إلى مستويات خيالية. كما أن العنف في معظم دول العالم يتعلق بالأقارب، خاصة الزوج أو العشيق أو الصاحب. في بلد مثل غواتيمالا تقتل امرأتان يوميا، بينما تقتل في الهند نحو 8000 امرأة لأسباب تتعلق بالمهر، و66% من اللاتي تعرضوا للقتل في المكسيك وقعن ضحايا لعلاقات عاطفية، كما أن 50% من نسبة الاعتداءات الجنسية في العالم تتعلق بفتيات دون سن 16 سنة، وأن 30% من الفتيات كانت تجاربهن الجنسية الأولى عن طريق العنف أو الفرض أو الاغتصاب. إذن عندما نتحدث عن أوضاع المرأة العربية وما آلت إليه في العقد الأخير، لا يقولن أحد إننا نتعمد إظهار عيوب المنطقة العربية. على العكس من ذلك فكل ما نتمناه أن نسلط الأضواء على أمراض اجتماعية تم تسييس بعضها لمصالح فئوية وحزبية وأيديولوجية، كي يتدارك المسؤولون الوضع قبل فوات الأوان، إن لم يكن فات فعلا بالنسبة لوضع المرأة العربية في أكثر من بلد. فالمشكلة عندنا أوسع من العنف، إنها تتعلق بالتهميش والاضطهاد والقوانين الجائرة والورث الثقافي المتحجر، والضغط المجتمعي الذي لا يرحم والخطاب الديني المتطرف.

تقرير طومسون رويترز حول وضعية المرأة العربية

DOI: 10.4324/9781003193234-3

النتائج التي طرحها تقرير مؤسسة طومسون رويترز لاستطلاعات الرأي مذهلة ومحيرة وخطيرة. فقد أجرت المؤسسة مسحاً شاملاً لأوضاع المرأة العربية في 22 دولة عربية، شارك فيه 336 خبيراً في المواضيع الجنسانية، من بينهم ناشطون وناشطات ومتخصصون في حقوق الإنسان وإعلاميون وأكاديميون ومشتغلون في ميدان الصحة والرعاية العائلية وخبراء في القانون. وكان الهدف قياس مدى التزام تلك الدول بأحكام الاتفاقية الدولية لمكافحة التمييز ضد المرأة المعروفة باسم (سيداو لعام 1979)، التي وقعت عليها الدول العربية مع بعض التحفظات على بند أو بندين بحجة مخالفتهما للشريعة. المؤشرات التي استخدمها الخبراء لقياس وضع المرأة هي: دور المرأة في العائلة واستيعاب المرأة في المجتمع والمشاركة السياسية والاندماج الاقتصادي، والحقوق الإنجابية وكافة أشكال العنف التي تتعرض لها النساء.

وقد جاءت النتائج كارثية بكل المقاييس مقارنة مع دول العالم قاطبة. والشيء المهم الذي كشفه هذا الاستطلاع الذي يُنجز للمرة الثالثة على التوالي، علاقة دول الربيع العربي بحقوق المرأة، مشيراً إلى أن الثورات العربية التي أطلقها الشباب والشابات فتحت الآمال أمام حقوق أوسع للمرأة، إلا أن الفوضى التي أعقبت الثورات وانتشار الخطاب السلفي عاد وأكد تلك الصورة النمطية للمرأة التي يعممها السلفيون، وهي "وقرن في بيوتكن".

وقد تعمد الاستطلاع القيام بعملية ترتيب للدول من الأفضل إلى الأسوأ. وقد جاءت مصر في المرتبة 22 أي الأدنى في القائمة، يليها مباشرة العراق في المرتبة 21 فالسعودية 20، بينما حلت جزر القمر في المرتبة الأولى تليها عمان فالكويت فالأردن فقطر. وفي الوقت الذي نوجه الشكر للدول التي انخفضت فيها نسب تهميش المرأة والتحرش بها، إلا أننا لا نستطيع السكوت على أوضاع المرأة في الدول التي كانت رائدة في موضوع تحرر المرأة مثل مصر وتونس وفلسطين والعراق، حيث انزلقت هذه الدول إلى مستويات أدنى من الدول التي أدخلت منظومة حقوق للمرأة مؤخراً، مثل الكويت التي سمحت للنساء بالانتخاب والترشح عام 2005.

هل يصدق أحد أن أوضاع المرأة العربية في مصر هي الأسوأ بين كل الدول العربية، يليها بلد رائد في حقوق المرأة هو العراق؟ هل هذا يعني أن نضال المرأة المصرية الذي جاوز القرن قد تبخر؟ هل الحقوق التي حصلت عليها المرأة العراقية لأكثر من 60 سنة ووضعتها في مصاف بعض الدول المتقدمة قد دُفنت وإلى الأبد، ولم يبق أمامها إلا الانزواء في أحد أركان البيت مستسلمة لدورها التقليدي في الإنجاب والطبخ والنفخ؟ كيف يمكن لعقل أن يستوعب أن 99.3 % من نساء مصر يتعرضن للتحرش؟ هذا يعني أن كل امرأة سواء كانت يافعة أو كهلة، طفلة أو عجوزاً، محجبة أو مبرقعة أو مخمرة أو سافرة لا فرق، جميلة أو غير جميلة "ما تفرقش"، تتحول فور خروجها من عتبة بيتها هدفاً للمتحرشين الذكور بدون استثناء، وكأن الشارع غابة والمشاة من الوحوش؟ ما الذي حدث لمصر والعراق وسورية وفلسطين وتونس؟ نفهم أوضاع المرأة في المجتمعات المحافظة كالسعودية، التي ما فتئنا نشير إلى وضعية المرأة فيها، أما أن تتحول الظاهرة إلى طامة كبرى في مثل هذه الدول الرائدة، فهو ما يستحق التأمل والدراسة والخروج بتوصيات حقيقية وفعالة لمحاولة إنقاذ الأوضاع قبل فوات الأوان.

وضع المرأة في مصر خاصةً محير ويثير تساؤلات حقيقية حول دور مصر الريادي الذي لعبته في المنطقة العربية، سواء في فترة النهضة الأولى أيام محمد علي باشا أو فترة النهضة الثانية بعد ثورة الضباط الأحرار عام 1952، التي فتحت آفاقا واسعة للتحرر والتعليم والعمل والبحث العلمي والتطور الصناعي والزراعي والتجاري، حيث دخلت المرأة سوق العمل واقتحمت ميادين التعليم والإبداع والفن والأعمال التجارية الحرة والوظائف الحكومية. ظاهرة التحرش بشكلها الفظ وتفاقم ظاهرة الختان وانتشار الاتجار بالنساء هي أمراض اجتماعية خرجت عن مستوى التحكم لتصبح مثل الداء المعدي الذي يعطب كل ما يصل إليه. وإذا لم يتم التعامل مع هذه الظاهرة وبسرعة فستؤدي إلى انهيارات مجتمعية، خاصةً إذا لم تعد المرأة آمنة على نفسها ومالها ومستقبلها ودراستها، وتفضل الاختباء في جحرها مما يعرض الاقتصاد والتعليم ومشاريع التنمية إلى ضربة موجعة.

ملاحظات حول التقرير

كما أسلفنا كانت مصر المفاجأة الكبرى وليس السعودية أو اليمن أو الصومال. إنها الأسوأ في العالم العربي في موضوع التحرش (99.3%) والختان (91% أي 27.2 مليون امرأة)، تسع نساء فقط نجحن في الانتخابات من مجموع 987 مترشحة في 2012، ونسبة التعليم لا تتجاوز 63%. في العراق لا تستطيع المرأة أن تحصل على جواز سفر بدون إذن من ولي أمر أو قريب، ولا تشكل النساء العاملات أكثر من 17% من مجموع القوى العاملة. ومن بين كل ألف حالة ولادة هناك 68 حالة فتيات بين سن السادسة عشرة والتاسعة عشرة. وفي أكثر من بلد عربي، المرأة لا تورث جنسيتها ولا تستطيع السفر أو الزواج أو استصدار جواز سفر إلا بموافقة ولي الأمر. ومن بين الملاحظات التي يطرحها التقرير هي العقوبة المخففة لجرائم الشرف وزواج القاصرات وتعدد الزوجات والعنف المفرط ضد النساء. ففي المغرب مثلا تعرضت 17000 امرأة لأنواع من العنف في الشهور الثلاثة الأولى لعام 2007، 78% من مرتكبي الجرائم من الأزواج. لأول مرة تصل لبنانية إلى مرتبة الوزارة كان عام 2004، ومن المفروض أن يكون لبنان رائد التحرر والتقدم والمساواة. ومن الغريب أن سن الزواج القانوني في الضفة الغربية 15 للبنات وفي غزة 17 سنة. وتعرضت 51% من نساء غزة إلى عنف محلي عام 2011. وفي الأردن إذا لم تنجب المرأة ذكرا يقوم الزوج في غالب الأحيان بالزواج من امرأة ثانية. وفي اليمن لا ينص القانون على السن القانوني للزواج، وربع المتزوجات تم عقد قرانهن قبل سن الخامسة عشرة. وهناك المزيد من العجائب والغرائب في التقرير وننصح بقراءته كاملا.

مقترحات عامة لمعالجة بعض جوانب الظاهرة

أقترح على كافة الكتاب والصحافيين والخبراء والدارسين أن يهتموا بهذا التقرير، لتكوين رأي عام ضاغط باتجاه تحسين أوضاع المرأة التي تشكل نصف المجتمع. وسأطرح مجموعة من النقاط للنقاش لعل أحداً يقرأ ويهتم ويصحح ويعدل ويغير:

أولا- ضرورة ترشيد الخطاب الديني – لقد احتلت المرأة حيزاً كبيراً من المساحات الفضائية المخصصة للدعوة والإرشاد في العقد الأخير، وأصبحت الفتاوى حول النساء تملأ الشاشات، ولم يبق جزء منها إلا وتناولته الفتاوى بشكل يثير الاشمئزاز. لقد أصبح جسد المرأة الفاصل الأوحد بين الخير والشر والجنة والنار والنور والظلمات، أما قضايا

العدل والمساواة والحريات العامة ومحاربة الفساد وتكافؤ الفرص والاحتجاج على إمام غير عادل فلا مكان لها في ذلك الخطاب المتطرف والسلفي.

ثانيا- يجب الضغط باتجاه تغيير القوانين الحالية، خاصة فيما يتعلق بتأخير سن الزواج وحق التنقل والسفر وقيادة السيارة واعتماد نظام المحاصصة في البرلمانات والجهاز الحكومي، وحق الحضانة وتجنيس الأولاد وردع التحرش وإنزال أقصى العقوبات بمرتكبي جرائم التحرش والاعتداء والاغتصاب. كما يجب أن تشمل القوانين بنود التعويض والتأهيل. كما أن مسألة الختان يجب أن تحسم قانونيا، حتى لا تبقى ملايين النساء ضحايا لعادات أفريقية وفرعونية ليس لها مبرر خلقي أو صحي أو إنساني في عالم اليوم.

ثالثا- إن حل مشاكل المرأة مرتبط أيضا بمسألة التنمية الرشيدة القائمة على استيعاب كافة أبناء المجتمع أثناء بناء المشروعات الصناعية والزراعية والتجارية. ويؤكد تقرير المجلس الاقتصادي والاجتماعي التابع للأمم المتحدة أن هناك علاقة جدلية بين تردي الأوضاع الاقتصادية وزيادة العنف المحلي للمرأة، حيث تضطر أعداد كبيرة من النساء أن يغادرن بيوتهن لإعالة أولادهن، مما يعرضهن للتحرش والعنف والابتزاز والاغتصاب. إن زيادة البطالة وانتشار الفوضى والإضرابات والعنف الداخلي فاقم المسألة الاقتصادية، ومن الطبيعي أن تكون المرأة أولى ضحايا الفقر والبطالة.

رابعا- إن البعد الثقافي للمسألة مهم جداً، فبعد أن انطلقت المرأة في مصر وسوريا والعراق والجزائر وفلسطين في دروب العلم والنضال والأنشطة السياسية والاجتماعية، عُدن وانكفأن في بيوتهن بعد تحقيق الاستقلال أو دخول البلاد في حالة من الجمود السياسي، كما هو الحال في مصر، أو تراجع مستويات النضال مع العدو الخارجي، ليحل محل ذلك أعداء من الداخل، كما حدث في الجزائر وسوريا والعراق وفلسطين. إن إعادة الاعتبار لدور المرأة وتشجيعها وحمايتها وفتح الفرص أمامها من الأمور المهمة الآن. يجب أن يعاد النظر في مناهج التعليم والبرامج التلفزيونية والمسلسلات والأفلام السينمائية، وتقديم برامج هادفة ومدروسة تحترم المرأة وتمجد دورها وتقدم نماذج من المناضلات العربيات اللواتي تركن بصمات إيجابية على مجمل النضال العربي أثناء حركات التحرر من الاستعمار والنضال ضد الصهيونية والإمبريالية وما أكثرهن.

الطريق ما زال طويلًاوشائكاً ومعتماً، ولكن كلما تأخرنا في التصدي لهذه التحديات ساءت أوضاع المرأة. ولا يظن أحد أن هناك نمواً أو تقدماً أو استقراراً ونصف المجتمع مهمش هذا على فرض أن النصف الثاني فاعل وحي ومتطور.

المفردات

marginalized	مهمش
phenomenon	ظاهرة
fictional	خيالية
dowry	المهر
victims	ضحايا

الاغتصاب	rape
العشيق	lover
عيوب	disadvantages/flaws
تسييس (إضفاء الطابع السياسي)	politicization
متحجر / قاسي	ruthless
مذهلة	amazing
التزام / تعهد	commitment
التمييز	discrimination
كارثية	disastrous
الصورة النمطية	stereotype

صِلوا الكلمات التالية بمرادفتها:

وضع		تصنيف
متطرف		ظرف
ترتيب		تساو
انزواء		انعزال
تكافؤ		متزمت

المفردات

املأوا الفراغ بالكلمة المناسبة:

فاقم	ملاحظات	مذهلة	المتحجر	العاطفية
بصمات	جدل	الرعاية	استطلاعات	عيوب

1. يمكن أن تلعب .... الأصابع دوراً حاسماً في التحقيقات الجنائية، لأنها كفيلة بتأكيد أو دحض هوية شخص ما.
2. لدي بعض الـ .... عن أداء الطاقم الدراسي في هذه المدرسة.
3. يصعب علينا عادةً ملاحظة .... من نحبهم.
4. هناك .... كبير حول نجاعة اللقاح الروسي.
5. ما الفرق بين العقل .... والمتحرر؟

6. لم أحب الفيلم كثيرا، و لكن زوجتي استمتعت بمشاهدته لأنّه مليء بالمشاهد.........

7. لقد أنجبت طفلا الأسبوع الماضي وعليك زيارة مركز .... الصحية لإجراء فحوصات طبية لك ولطفلك.

8. بالفعل كانت عروض الفنانين التشكيليين .... حيث أعجبني دمج الألوان والخطوط بالطرائق الثلاثية الأبعاد.

9. أكد الوزير أن مسار الربيع العربي .... الأزمات والتحديات بلا رؤية أو علاج.

10. بينت .... الرأي العام رضا الأمريكيين على أداء الرئيس بايدن.

أسئلة الفهم

ناقشوا الأسئلة التالية في مجموعات لا تزيد عن ثلاثة طلاب:

1. ما هي المعايير التي اعتمدها الخبراء لقياس وضع المرأة؟

2. ما هي نتائج الاستطلاعات التي سلطت الضوء على وضعية المرأة في الوسط العربي؟

3. كم كانت نسبة نجاح النساء في انتخابات عام 2012؟

4. ما دور الفتاوى في تدهور صورة المرأة في المجتمع؟

5. الإعلام من الوسائل الفعالة في توعية المجتمع، ما هي علاقة الإعلام بتمجيد صورة المرأة؟

أسئلة المناقشة

ناقشوا الأسئلة التالية في مجموعات لا تزيد عن ثلاثة طلاب:

1. كيف تصنف وضع المرأة في المجتمع العربي؟

2. المقال لا يقتصر فقط على مناقشة العنف ضد المرأة، بل يسلط الأضواء على أوجه التهميش والاضطهاد؟ اذكر بعضها وناقشها.

3. ماذا يقصد الكاتب بقوله " لا صلاح لمجتمع نصفه مهمش ومضطهد"؟

4. من المسؤول عن مشاكل العنف والاضطهاد والتمييز ضد النساء؟

الترجمة

ترجموا ما يلي إلى اللغة الإنجليزية:

تعتبر جميع الدول، بما فيها الدول التي لم توقع على الاتفاقية، ملزمة بالتمسك بمعايير الحماية الأساسية التي تعتبر جزءاً من القانون الدولي العام. ويجب، على سبيل المثال، ألا يعاد أي لاجئ إلى أراض تتعرض فيها حياته أو حياتها، حريته أو حريتها للتهديد.

الكتابة

اختاروا موضوعاً واحداً من المواضيع التالية و اكتبوا حوالي 150-200 كلمة:

1. وضع المرأة في العالم العربي كارثي رغم القوانين الجديدة التي اتخذتها بعض الدول العربية. ماهي مقترحاتكم لتحسين وضع المرأة في العالم العربي؟
2. ماهي الخطوات التي يجب اتخادها من أجل معالجة ظاهرة التحرش الجنسي في المجتمع العربي، علماً أن بعض الآراء ترى أن أسباب هذه الظواهر ترجع إلى العادات والثقافات العربية؟ وضح موقفك.
3. كيف يمكن دعم مشاركة المرأة العربية في العمل السياسي وتمكينها اجتماعياً واقتصادياً؟

الاستماع والحوار

اذهبوا الى الرابط التالي و ناقشوا المواضيع التي تطرق إليها الفيديو:

https://www.youtube.com/watch?v=oUJUhs3WpmU

حقوق النساء في ظل فيروس كورونا المستجد :UNIT 2

حقوق النساء والفتيات والشباب مهددة بشدة بسبب الجائحة

بقلم: نادين النمري. نشر بتاريخ 15 مايو 2020

تقييم أممي يحذر من أن القيود التي فرضت بسبب الوباء زادت من العنف ضد المرأة والفتيات.

عمان- أظهرت نتائج تقييم أجراه صندوق الامم المتحدة للسكان في الأردن، أن ما فُرض من قيود على المجتمع بسبب جائحة فيروس كورونا، رفع نسبة العنف المبني على النوع الاجتماعي وزاد المخاطر الصحية والنفسية للنساء والفتيات.

جاء ذلك في تقييم للصندوق بالتنسيق مع معهد العناية بصحة الاسرة التابع لمؤسسة نور الحسين ومنظمة البلان العالمية، لقياس تأثير الجائحة على العنف المبني على النوع الاجتماعي والصحة والحقوق الجنسية والإنجابية بين اليافعات في الأردن، بما في ذلك الأشخاص ذوي الإعاقة.

وقال التقييم؛ إن الوباء والقيود المرتبطة به، زادت من عدم اليقين، والتوتر والمخاطر الصحية والنفسية للنساء والفتيات، اذ تواجه غالبيتهن تحديات عدم المساواة بين الجنسين والتمييز، معتبراً أن حقوقهن مهددة بشدة بسبب الجائحة، وهناك حاجة إلى عمل حازم

ومنسق من جانب الأمم المتحدة والمجتمع المدني والحكومة والجهات المانحة، لضمان حماية وتمكين النساء والفتيات في الأردن.

وأظهر التقييم - نحو 69 % من المشاركين فيه- أن العنف المبني على النوع الاجتماعي، ازداد منذ بداية الوباء.، لافتاً إلى أن العنف النفسي والجسدي- الذي يرتكبه غالبًا الزوج، أو فرد من العائلة - أكثر الأنواع شيوعاً للعنف المبني على النوع الاجتماعي، ما يؤكده ارتفاع بلاغات زيادة العنف ضد النساء والفتيات.

وبرغم ذلك، تبين أن نسبة التبليغات أقل بكثير من الواقع، فالشعور بالعار ووصم الضحايا والضغوط الاجتماعية، يشكل عوائق أمام الإبلاغ عن العنف، كما أن القيود المفروضة على الحركة تعتبر عقبة إضافية.

وتتفق النساء والفتيات على أن الحصول على خدمات العنف المبني على النوع الاجتماعي والصحة الجنسية والإنجابية، قبل تفشي الوباء أقل صعوبة، عما هو عليه في الحظر.

كما أفادت النساء والفتيات اللاتي حصلن على خدمات عن بعد، بأن الخدمة جعلتهن يشعرن بتحسن، برغم أن اللقاءات مع مقدمي الخدمات الرئيسين، بينت أن الخدمات عن بعد ليست بديلًاحقيقياً عن الخدمات التي تقدم وجهاً لوجه.

ووفقا للتقييم الذي شمل 400 يافعا ويافعة من 4 محافظات: عمان، الزرقاء، اربد والكرك، ومخيمي الازرق والزعتري، إذ عبر 71 % منهم عن القلق بسبب الوباء، و78 % من النساء البالغات أعربن عن مستويات عالية من القلق، و10 % لاجئون سوريون، أي بأعلى بنحو 10 % من الأردنيين، في حين أعرب لاجئون من جنسيات أخرى (سودانيون ومصريون وغزيون) عن مستويات عالية منه، فيما أبلغ الفلسطينيون عن أدنى مستوى منه.

وبحسب التقييم؛ فإن 86 % منهم قالوا بأن الوباء يهدد أمنهم الاقتصادي، وقد يؤدي لمزيد من الفقر، وأفاد 55 % فقط من النساء و58 % من الرجال بأنهم قادرون على تلبية الاحتياجات الأساسية لعائلاتهم خلال فترة الحظر.

كما تقل احتمالية وصول النساء والفتيات للأنشطة المدرة للدخل، أو الحصول على المساعدات المادية عبر الفئات العمرية مقارنةً بالرجال والفتيان، بنسبة 50 % أو أقل من نظرائهن الذكور.

وابلغت 7 % فقط من الفتيات اليافعات عن تمكنهن من الوصول للأنشطة المدرة للدخل أو المساعدات المادية، مقارنة بـ24 % من الفتيان من العمر نفسه.

وأعرب 88 % من الفتيات والفتيان اليافعون، عن سعيهم لاتباع احد أشكال التعلم عن بعد؛ وقد أبلغ الأردنيون منهم عن مستويات أعلى من التعلم عن بعد مقارنة بالسوريين، في حين أفاد عدد قليل من اللاجئين من جنسيات أخرى بمستويات عالية من أشكال التعلم عن بعد، وقد كانت النسبة للفلسطينيين 50%.

وأبلغت الفتيات اليافعات ممن يتعرضن للإجهاد لعدم قدرتهن على الذهاب للمدرسة، بأنها تجربة إيجابية، معربات عن قلقهن من أن هذه التغييرات التعليمية ستؤثر سلبًا على مستقبلهن، وأفادت 55 % منهن بأنهن وأقرانهن يقمن بمزيد من الأعمال المنزلية بسبب الوباء وإجراءات الحظر.

كما أفدن بامتلاكهن لمعلومات أقل، عن كيفية الوصول إلى خدمات الصحة الجنسية والإنجابية في الحظر، مقارنة بالسابق بنسبة 10%.

وبرغم أن وسائل منع الحمل الشائعة والواقي الذكري في الأردن متوافرة في الصيدليات، لكن بيانات التقييم أظهرت بأن الوصول لاستشارات تنظيم الأسرة تأثرت سلباً، مع زيادة بنسبة بين 10 الى 20 % في عدد النساء غير القادرات إطلاقا على الحصول على خدمات تنظيم الأسرة.

من جانبها؛ قالت الممثلة الجديدة لصندوق الأمم المتحدة للسكان في الأردن انشراح أحمد في تصريحات صحفية أن "الصندوق سيواصل تقديم خدماته للمجتمعات المحلية عبر منظمات المجتمع المدني، لدعم الناجين من الاعتداء والعنف المبني على النوع الاجتماعي، وتنويع نهجاً للتكيف مع تعقيدات بيئة العمل بسبب الوباء"

وأضافت "كما سيعمل الصندوق بالشراكة مع الحكومة الأردنية وجميع شركائنا على ضمان أن تكون الأولوية هي التصدي للعنف المبني على النوع الاجتماعي، وتقديم خدمات الصحة الجنسية والإنجابية كعمل منقذ للحياة في الحجر".

أما مديرة منظمة بلان انترناشونال – الاردن منى عباس؛ فشددت على أهمية تسليط الضوء على قضايا الفئات الهشة كالفتيات والشابات، فهن لا يواجهن التهديدات الصحية المباشرة التي يشكلها الوباء فحسب، بل سيتأثرن أيضًا بشكل خاص بآثاره الثانوية، كما هو الحال أثناء فترة الإغلاق، اذ يكن أكثر عرضة للمعاناة من العنف المبني على النوع الاجتماعي، ولعدم تمكنهن من الحصول على حقوق الصحة الجنسية والإنجابية.

اما مدير معهد العناية بصحة الأسرة الدكتور إبراهيم عقل، فأكد مواصلة المعهد المساهمة بالجهود الوطنية في الاستجابة لتبعات الفيروس، خاصةً توفير الوصول الآمن إلى خدمات الصحة الجنسية والإنجابية، والتصدي للعنف الجنسي المبني على النوع الاجتماعي للفئات الأكثر ضعفاً من مجتمعات اللاجئين والمجتمعات المضيفة".

المفردات

تفشي / انتشار	spread
الوباء	the epidemic
الجائحة	the pandemic
تقييم	evaluation
احتمالية	probability
وسائل منع الحمل	contraceptive
التصدي / مواجهة	confront
أرملة	widow
زمام الأمور	take charge
عوائق	obstacles
العار	shame
بديل	alternative

الفتيات اليافعات	young girls
الإجهاد	exhaustion
العنف الجنساني	gender-based violence

صِلوا الكلمات التالية بمرادفتها:

قيود		تنظيم
تنسيق		أعلن
تمكين		أربطة
أفاد		تأمين
ضمان		توطيد

المفردات

املأوا الفراغ بالكلمة المناسبة:

قلق	العار	عقبة	وباء	جائحة
نظيره	العوائق	الحظر	العنف	اليقين

1. انتشر .... الإيبولا في القارة الإفريقية مخلفاً آلاف الوفيات في هذه الدول.
2. تواجه جميع المجتمعات مشكلة انتشار الجرائم الإلكترونية، وعلى رأسها جرائم الابتزاز الجنسي والمالي للرجال والنساء خشية من ....
3. وسط .... وترقب الشارع الفلسطيني، أعلن محمود عباس عن تأجيل انتخابات المنظمة الجديدة.
4. قررت حكومة إيطاليا فرض .... الليلي، بسبب ارتفاع أعمال العنف والشغب التي تجتاح العاصمة.
5. حدد مؤسس شركة مايكروسوفت، بيل غيتس، طبيعة وشكل التهديدات التي ستواجه البشرية بعد .... كورونا.
6. قالت الأمم المتحدة إنّ .... المادية والخلافات السياسية تعمّق أزمة الوقود في اليمن.
7. اعلم أن .... لا يزول بالشك.
8. دعا الأمين العام للأمم المتحدة، أنطونيو غوتيريش، إلى اتخاذ تدابير لمعالجة "الطفرة العالمية المروعة في .... المنزلي" ضد النساء والفتيات.

9. شارك وفد كويتي مع .... من الولايات المتحدة في موتمر طبي لمناقشة المستجدات التكنولوجية المعتمدة في جراحة القلب.

10. صرحت كلًا من مصر وقطر أن المستوطنات الإسرائيلية تشكل .... أمام السلام.

أسئلة الفهم

ناقشوا الأسئلة التالية في مجموعات لا تزيد عن ثلاثة طلاب:

1. من هي الأطراف المعنية بحماية حقوق النساء والفتيات في الأردن؟
2. لماذا تتردد النساء في التبليغ عن حوادث العنف؟
3. كيف أثرت كورونا سلباً على تنظيم الأسرة والتوعية الإنجابية؟
4. ما هو دور صندوق الأمم المتحدة في التصدي لظاهرة العنف الاجتماعي؟
5. كيف كانت ردود فعل النساء فيما يخص الخدمات عن بعد؟

أسئلة المناقشة

ناقشوا الأسئلة التالية في مجموعات لا تزيد عن ثلاثة طلاب:

1. ماهي مقترحاتكم للتعامل بشكل فعال مع ظاهرة العنف ضد النساء والفتيات؟
2. كيف أثرت جائحة كورونا سلباً على وضعية النساء في الوسط العربي؟
3. لماذا تعجز السلطات عن الحد والتخفيف من هذه الظاهرة؟
4. ناقشوا أسباب الخجل في طلب الاستشارة النفسية والجنسية.

الترجمة

ترجموا ما يلي إلى اللغة الإنجليزية:

وقال التقييم؛ إن الوباء والقيود المرتبطة به، زادت من عدم اليقين، والتوتر والمخاطر الصحية والنفسية للنساء والفتيات، اذ تواجه غالبيتهن تحديات عدم المساواة بين الجنسين والتمييز، معتبراً أن حقوقهن مهددة بشدة بسبب الجائحة، وهناك حاجة إلى عمل حازم ومنسق من جانب الأمم المتحدة والمجتمع المدني والحكومة والجهات المانحة لضمان حماية وتمكين النساء والفتيات في الأردن.

الكتابة

اختاروا موضوعاً واحداً من المواضيع التالية و اكتبوا حوالي 150-200 كلمة:

1. ما هي القيود التي تعرقل اندماج المرأة في المجتمع العربي، وكيف يمكن تقليص الفجوات بين الجنسين؟

2. بعض الآراء تلوم الثقافة والعادات العربية وراء تفشي العنف ضد المرأة في المجتمع العربي. ما رأيكم؟
3. هل سكوت المرأة المعفنة عن حقها سبب من أسباب تفشي العنف الأسري؟

الاستماع والحوار

اذهبوا الى الرابط التالي و ناقشوا المواضيع التي تطرق إليها الفيديو:

https://www.youtube.com/watch?v=mvsYCyV_7Y4

UNIT 3: تمكين النساء

مسيرة وتاريخ حقوق المرأة الكويتية خطوة بخطوة على الجبهات النيابية والوزارية والبلدية

بقلم: محمد ناصر. نُشر بتاريخ 20 مايو 2009

أول ما تميزت به انتخابات أمة 2009 هو بالتأكيد فوز المرأة بأربعة مقاعد في اقل من أربع سنوات على اعطاء المرأة حقها السياسي في 16 مايو 2005.

فمعصومة المبارك، سلوى الجسار، أسيل العوضي، وورولا دشتي حصدن ما زرعن وقطفن ثمار نشاطهن ومطالبتهن بالحقوق السياسية خاصة د. معصومة المبارك والتي يشهد لها الجميع بنشاطاتها وتحركاتها ومطالباتها التاريخية والتظاهرات والأنشطة التي شاركت فيها للتأكيد على أهمية نيل الحقوق السياسية للمرأة.

فمع إعلان النتائج أصبح باستطاعتنا القول الآن ان المرأة أنهت بنجاح الشوط الأخير من مسيرة حقوقها السياسية، لتبدأ من اليوم مرحلة العمل الجاد والفعلي ولتثبت للجميع أهليتها وأحقيتها في مطالباتها.

فكما تميزت المرأة الكويتية وأثبتت جدارتها في كل مرفق تولت مسؤوليته او في اي مهمة تصدت لها، سواء كانت تربوية وتعليمية او ديبلوماسية او طبية او حتى سياسية عبر تجربة التوزير. فاليوم المرأة ستبدأ مسيرتها الجديدة بخوض غمار العمل البرلماني الذي ستضع بصماتها وإنجازاتها عليه.

صفحة جديدة.

منذ ان أصدر الأمير الراحل الشيخ جابر الاحمد في 25 مايو 1999 رغبته الأميرية بمنح المرأة حقوقها السياسية في الترشيح والانتخاب، بدأت صفحة جديدة تكتب في سجل تاريخ هذا الشعب، وان كانت حروف الصفحة لم تكتمل، حيث لم يقر هذا المرسوم من قبل

اعضاء البرلمان الذين رفضوا القانون بأغلبية 41 صوتا في جلسة 22 نوفمبر 1999 الا انه شكل نقطة البدء الحقيقية في اصرار المرأة الكويتية على نيل كامل حقوقها السياسية.

وسبق رغبة الأمير السامية عام 99 تاريخ من المطالبات والاقتراحات بدأت أثناء التمهيد لانتخابات مجلس الأمة 1971، عندما قدمت قائمة نواب الشعب أول برنامج للعمل الوطني في الكويت ينصُ على السعي من أجل إعطاء المرأة حقوقها السياسية كاملة، وذلك في ديسمبر عام 1970 وخاضوا بموجبه الانتخابات لمجلس الامة عام 1971-1975.

ثم تقدمت الناشطة والمؤرخة الكبيرة نورية السداني - بوصفها رئيسة لجنة يوم المرأة العربية في الكويت - بمذكرة للمطالبة بحقوق المرأة، وأحال رئيس مجلس الأمة تلك المذكرة الى لجنة الشكاوي التي رفعتها الى المجلس، ثم تقرر عدم الاعتراف بحق المرأة في الانتخاب والترشيح.

وفي 11 ديسمبر عام 1971 تقدم النائب سالم خالد المرزوق خلال الفصل التشريعي الثالث باقتراح بمشروع قانون بمنح المرأة الكويتية المتعلمة حق الانتخاب.

وفي 15 فبراير عام 1975 وخلال الفصل التشريعي الرابع تقدم كل من النائب جاسم القطامي وراشد الفرحان بأول مشروع قانون مفصل يعطي النساء حقوقهن السياسية كاملة بالترشيح والانتخاب.

وخلال الفصل التشريعي الخامس والذي امتد ما بين عامي 1981 و1985، تقدم النائب أحمد فهد الطخيم باقتراح قانون لتعديل المادة الأولى من قانون الانتخاب والاعتراف بحقوق المرأة.

وفي الفصل التشريعي السادس والذي جرت انتخاباته في 20 فبراير عام 1985، تقدم النائب عبد الرحمن خالد الغنيم باقتراح بقانون يمنح المرأة حقها في الانتخاب والترشيح.

وفي عام 1992 وخلال الفصل التشريعي السابع تقدم النائب حمد الجوعان باقتراح قانون يمنح المرأة حقوقها السياسية بالترشيح والانتخاب، وخلال نفس الفصل التشريعي تقدم في 20 يوليو عام 1994 النواب علي البغلي وعبد المحسن جمال وجاسم الصقر وعبد الله النيباري باقتراح قانون يعطي المرأة حقها في الانتخاب والترشيح.

وفي الفصل التشريعي الثامن الذي بدأت انتخاباته في الـ 7 من اكتوبر عام 1996، تقدم النواب سامي المنيس وعبد الله النيباري ود. حسن جوهر باقتراح قانون يمنح المرأة حقوقها السياسية وذلك في نهاية ديسمبر 1996.

وخلال الفصل التشريعي نفسه وبتاريخ 29 يناير عام 1997 تقدم النائبان صلاح خورشيد وعباس الخضاري باقتراح يعطي المرأة حقوقها السياسية، إلا أن مجلس الأمة رفض لأكثر من مرة اصدار تشريع يمنح المرأة حقوقها النيابية.

وفي 17 ابريل عام 1991 وعد سمو الأمير الراحل الشيخ جابر الأحمد في خطابه بمناسبة العشر الأواخر من شهر رمضان لسنة 1411 هجرية بدراسة موضوع حقوق المرأة السياسية، إذ قال سموه: سيدرس موضوع مشاركة المرأة في الحياة النيابية لتقوم بكامل دورها في بناء المجتمع والنهوض به.

وفي 25 مايو من العام نفسه أصدر سمو الأمير الراحل الشيخ جابر الأحمد المرسوم بقانون رقم 9 لسنة 1999 بتعديل المادة الأولى من القانون رقم 35 لسنة 1962 في شأن

انتخابات أعضاء مجلس الأمة بحيث يصبح النص كالتالي: لكل كويتي يبلغ من العمر إحدى وعشرين سنة ميلادية كاملة حق الانتخاب ويستثنى من ذلك المتجنس الذي لم يمض على تجنيسه عشرون سنة ميلادية، وفقا لحكم المادة 6 من المرسوم الاميري رقم 15 لسنة 1959 بقانون الجنسية الكويتية.

وفي 23 نوفمبر عام 1999 وخلال الفصل التشريعي التاسع رفض مجلس الأمة المرسوم بقانون رقم 9 لسنة 1999 وأعلن رئيس مجلس الأمة جاسم الخرافي نتيجة التصويت على تقرير لجنة شؤون الداخلية والدفاع بهذا الشأن والتي كانت قد رفضت المرسوم إذ كانت النتيجة موافقة 41 عضوا على التقرير وعدم موافقة 21 عضوا من اجمالي الحضور البالغ 62 عضوا.

وفي الجلسة نفسها وافق مجلس الأمة على اقتراح قدمه 14 عضوا يعطي صفة الاستعجال للاقتراح بقانون المماثل للمرسوم بقانون الخاص بإعطاء المرأة الحقوق السياسية في الانتخاب والترشيح للمجالس النيابية والذي كان قد رفضه المجلس.

وجاءت نتيجة التصويت في نفس الجلسة على هذا الاقتراح، والتي تمت بالنداء بالاسم موافقة 31 عضوا على الاقتراح وعدم موافقة 30 عضوا، وامتناع عضو واحد من اجمالي الحضور البالغ عددهم 62 عضوا.

وعاد مجلس الأمة في جلسة 30 نوفمبر عام 1999 فأسقط هذا الاقتراح بقانون والذي تقدم به خمسة نواب هم محمد الصقر وسامي المنيس واحمد الربعي وعبد الوهاب الهارون وعبد المحسن جمال في جلسة الثاني من اغسطس عام 1999، والقاضي بإجراء تعديل على المادة الأولى من القانون رقم 35 لسنة 1962 بشأن انتخابات مجلس الأمة.

وجاءت نتيجة التصويت بعدم موافقة 32 عضوا وموافقة 30 عضوا وامتناع عضوين عن التصويت. وفي 29 يوليو 2000 اعلن رئيس مجلس الأمة جاسم الخرافي أنه تسلم اقتراحاً بقانون يهدف الى تعديل المادة الأولى من قانون الانتخاب وذلك لتمكين المرأة من ممارسة حقها السياسي، وقدم هذا الاقتراح سامي المنيس ومحمد الصقر وعبدالله النيباري وعبدالوهاب الهارون.

وفي 16 يناير عام 2001 اصدرت المحكمة الدستورية حكما برفض الدعوى الخاصة بالطعن الدستوري المقدم من أحد المواطنين ضد مدير إدارة الانتخابات وشؤون مجلس الأمة بوزارة الداخلية بصفته بشأن عدم دستورية قانون الانتخاب.

وفي 29 يناير عام 2001 تقدم عضو المجلس البلدي خليفة الخرافي باقتراح لرئيس المجلس بمطالبة الحكومة بتشريع قانون يتيح للمرأة حق الانتخاب والترشيح والتعيين لعضوية المجلس البلدي.

وفي 17 مارس 2002 رفضت لجنة فحص الطعون المنبثقة عن هيئة المحكمة الدستورية قضيتين رفعتهما مواطنتان ضد وزير الداخلية بصفته طعنا في قرار وزارة الداخلية بعدم قبول قيد اسميهما وأخريات في جداول الناخبين، مطالبتين بإلغاء احكام المحكمة الإدارية التي سبق ان رفضت قضيتهما لانتفاء سلبية قرار وزارة الداخلية الخاص برفض ادراج اسماء المتقدمات للتسجيل بالجداول الانتخابية.

وفي 11 مايو 2003 اقر مجلس الوزراء تعديلات جوهرية على قانون البلدية إذ منح المرأة تمثيلا في المجلس البلدي ترشيحا وانتخابا وتعيينا.

وفي 30 مايو 2004 احالت الحكومة على مجلس الأمة مشروع تعديل المادة الأولى من القانون رقم 35 لسنة 1962 في شأن انتخابات أعضاء مجلس الأمة وذلك بموجب المرسوم رقم 130 لسنة 2004 والذي أحيل على لجنة الداخلية والدفاع في المجلس.

وفي 16 مايو 2005 أقر مجلس الأمة منح المرأة حق الترشيح والانتخاب بعد طول انتظار وبأغلبية مريحة تمثلت في تأييد 35 عضوا مقابل رفض 23، ليفتح الباب أمام انطلاق المرأة نحو الترشح والانتخاب.

المرأة والمجلس البلدي.

سجلت الانتخابات التكميلية للمجلس البلدي في ابريل 2006 اثر خلو مقعد رئيس المجلس آنذاك عبدالله المحيلبي بعد توزيره حدثاً فريداً في تاريخ المرأة السياسي، اذ مارست حقها لأول مرة ترشيحاً وانتخاباً بعد ان أقر مجلس الأمة القانون رقم 17 لسنة 2005 بشأن اعطاء الحق السياسي للمرأة، ورغم محدودية تلك الانتخابات لاقتصارها على دائرة واحدة، إلا انها فتحت الباب لمشاركة المرأة في أول تجربة سياسية وسجلت من خلالها المرشحة جنان بوشهري أول عملية ترشح للمرأة الكويتية حيث حصلت على المركز الثاني في تكميلية الدائرة الـ 5 للعام 2006 بواقع 1807 أصوات من اصل 28188 وهو مجموع أعداد الناخبين في الدائرة اي بنسبة 6% من مجموع الناخبين و17% من نسبة المقترعين، وخالدة الخضر بـ 79 صوتا في حين حصل على المركز الاول يوسف الصويلح 5436 صوتا اي بفارق 3629 صوتا، حيث بلغ مجموع المقترعين 10739 مقترعا بمعنى ان عدد الذين لم يقترعوا بلغ 17449 ناخبا.

وسبق تلك الخطوة التاريخية في المجلس البلدي عندما وافق مجلس الوزراء في 5 يونيو 2005 على تعيين امرأتين من بين 6 شخصيات لعضوية المجلس البلدي لأول مرة في تاريخ الكويت وهما الشيخة فاطمة الصباح، و م. فوزية البحر.

ثم شاركت المرأة مرة اخرى في تكميلية البلدي في 26 يونيو 2006، عبر خالدة الخضر التي حازت 120 صوتا، ثم في انتخابات يوليو 2008 عبر نفيسة كمال التي حازت 17 صوتا ومنى الدهام التي حازت 3 أصوات. أما أول ناخبة في تاريخ الكويت فكانت رقية حسين علي (73 عاما) والتي أدلت بصوتها في مدرسة أروى بنت الحارث في الرميثية في الساعة الثامنة ودقيقتين في انتخابات «البلدي» في أبريل 2006.

المرأة في أمة 2006.

وبدأ التطبيق الفعلي في انتخابات امة 2006، وعلى الرغم من عدم فوز أي مرشحة بالانتخابات الكويتية إلا ان مشاركة المرأة فيها ولأول مرة اعتبرت انتصارا بكل المقاييس.

وبلغت نسبة مشاركة المرأة في انتخابات التاسع والعشرين من يونيو 2006 نحو 35% وهي نسبة جيدة للغاية في أول تجربة للمشاركة النسائية في الانتخابات.

وكان اجمالي عدد المرشحات في الانتخابات 27 مرشحة وحصد بعضهن عدداً كبيراً من الأصوات، ليتفوقن على بعض منافسيهن من الذكور.

وعلى الرغم من عدم فوز عنصر نسائي واحد في الانتخابات، إلا أن المشاركة النسائية التاريخية غيرت المظهر السياسي العام للكويت.

أول مرشحة في مجلس الأمة.

وطبعا مع فتح باب الترشيح للمرأة الأولى لانتخاب مجلس أمة عام 2006، توجهت 5 مرشحات للفوز بلقب أول مرشحة للانتخابات البرلمانية في تاريخ الكويت وهن: د. رولا دشتي، د. خالدة الخضر، عائشة الرشيد، غنيمة الحيدر، وطيبة الإبراهيم، إلا أن مدير الانتخابات حقق رغبتهن جميعاً بذكاء عندما ادخل المرشحات الـ 5 في توقيت واحد، واستدعى 5 موظفات لتسجيلهن في وقت واحد.

أول مرشحة تنسحب.

وفي 7 يونيو 2006 شهدت إدارة شؤون الانتخابات أول حالة تنازل لمرشحة، حيث تنازلت رسميا مرشحة الدائرة الـ 10 (العديلية) آمال فهد ناصر العمير لتكون أول مرشحة تنسحب في تاريخ الانتخابات.

المرأة في أمة 2008.

وكانت تجربة مشاركة المرأة في 2008 أكثر نضجاً وخبرة، حيث بدا تأثير أصوات النساء جلياً في جميع الدوائر الانتخابية على اختلاف بنيتها وتشكيلتها الديموغرافية، وبدت التجربة هذه المرة أكثر نضجاً، حيث نافست المرأة وبقوة في بعض الدوائر، وكادت تصل الى قبة البرلمان بفارق ضئيل عمن وصلوا، ومن الأمثلة على ذلك مرشحتا الدائرة الثالثة، د. أسيل العوضي التي حلت بالمركز الحادي عشر بـ 5173 صوتاً، ود. رولا دشتي التي حصدت 4464 صوتاً، وفاطمة العبدلي التي حصدت 2184 صوتاً في الأولى، وذكرى الرشيدي التي حصدت 2122 صوتاً في الدائرة الرابعة، وهذه نسب جيدة إذا ما قورنت بنسب الرجال، وان تفاوتت بين منطقة وأخرى، حيث شاركت 27 امرأة. ففي الدائرة الأولى شاركت 4 نساء وكانت نتيجة التصويت أن حصلت فاطمة العبدلي على 2184 صوتاً ونجلاء النقي على 337 صوتاً ونادية القناعي على 279 صوتاً وأمينة القلاف على 151 صوتاً.

وفي الدائرة الثانية حلت د. سلوى الجسار بالمركز الـ 18 بـ 2215 صوتا وخالدة الخضر حصدت 374 صوتاً، اما الدائرة الثالثة فتميزت بشدة المنافسة، اذ حلت د. أسيل العوضي في المركز الـ 11 بـ 5173 صوتاً ود. رولا دشتي بالمركز الـ 15 بـ 4464 صوتاً، وغنيمة الحيدر بـ 432 صوتاً وعائشة الخليفي بـ 428 صوتاً وشيخة الغانم بـ 175 صوتاً ونعيمة الحاي بـ 97 صوتاً وعائشة العميري بـ 92 صوتاً وجميلة الفودري بـ 76 صوتاً وطيبة الابراهيم بـ 72 صوتاً ونبيلة العميري بـ 57 صوتاً ونوال المقيحط بـ 35 صوتاً ونورة الدرويش بـ 17 صوتاً.

اما الدائرة الرابعة فحصدت ذكرى الرشيدي 2122 صوتاً وذكرى المجدلي 300 صوتاً وعائشة الراجحي 125 صوتاً وسلوى المطيري 107 صوتاً وعلية العنزي 80 صوتاً. وفي الدائرة الخامسة حصدت فاطمة النهام 686 صوتاً ونادية مصطفى 558 صوتاً وسميرة الشطي 364 صوتاً وخزنة العماني 348 صوتاً.

المرأة الوزيرة.

وفي 12 يونيو 2005 دخلت الكويت عهدا جديدا مع تعيين د. معصومة المبارك كأول وزيرة في تاريخ البلاد بحقيبة التخطيط والتنمية الإدارية، ووقع الاختيار على د. معصومة التي اشتهرت بنضالها السياسي وبكونها واحدة من أبرز الناشطات السياسيات

والمطالبات بحقوق المرأة لحوالي ربع قرن. وانطلقت بعدها الحملات والتشكيكات وشكلت الجهات المعارضة لدستورية تعيين د. المبارك، وفي 20 يونيو 2005 دخلت د. معصومة مجلس الأمة لتكون أول وزيرة تؤدي اليمين الدستورية تحت قبة مجلس الأمة ولتكون الأولى في تاريخ الكويت وسط معارضة شرسة من النواب المعترضين على حقوق المرأة السياسية.

وفي مارس 2007 تم تعيين نورية الصبيح لتكون وزيرة التربية والتعليم العالي وأدت في 12 ابريل اليمين الدستورية وسط احتجاج من بعض النواب لعدم ارتدائها الحجاب والزي الاسلامي.

وفي 28 مايو 2008 عيّنت د. موضي الحمود وزيرة الدولة لشؤون الإسكان ووزيرة الدولة لشؤون التنمية، وتكرر الأمر في 1 يونيو 2008 عندما انسحب عدد من الأعضاء من الجلسة الافتتاحية اعتراضا على عدم ارتداء الوزيرتين الحمود والصبيح الزي الإسلامي.

تاريخ حافل.

فتاريخ المرأة الكويتي حافل بالعطاءات التي تخللها الكثير من العوائق والصعاب التي استطاعت تخطيها، فبدأت مسيرتها التعليمية عام 1937، ثم خاضت معترك العمل الوظيفي، فدشنت بذلك أولى محطات العطاء الوطني والمشاركة في التنمية المجتمعية والاقتصادية. ورغم العثرات والصعاب، الا ان نجاحات المرأة الكويتية اكسبتها الريادة والسبق على مستوى الخليج، لما وصلت اليه من مناصب وظيفية متعددة وقيادية. ولم يقف اهتمام الكويت بالمرأة عند نقطة الحقوق السياسية فقط، بل تعداها الى كل ما يتعلق بالمرأة اقتصادياً وثقافياً واجتماعياً وهو الأمر الذي نص عليه دستور الدولة عندما كفل حقوق الأمومة والطفولة في المادة التاسعة منه، وشدد على حمايتها من العنف من خلال قانون الأحوال الشخصية، كما كفل لها حق الترشيح والانتخاب في الجمعيات الأهلية والتنظيمات التعاونية التي تمثل محوراً مهماً في الحياة الاجتماعية والاقتصادية في الدولة.

وترجمت الكويت نص الدستور إلى واقع فعلي، عبر العديد من خطط وبرامج عمل أجهزتها الحكومية والأهلية على حد سواء، فكفلت حق التعليم والسكن والتوظيف والحرية الشخصية لكلا الجنسين وأرست مبادئ العدل والمساواة، ولم تفرق في الحقوق والواجبات بينهما، فكانت ثمرة غرسها مشاركة المرأة الفعالة في الحياة السياسية.

المفردات

election	انتخاب
issued	أصدر
nomination	الترشيح
members	أعضاء
bill	مشروع قانون

المادة	article
الدستور	constitution
القضية	issue/cause
مبادئ	principles
حصدت / نالت	gained
منافسة	competition
قبة	dome
ارتداء	wear
العثرات / المخاطر	pitfalls
الريادة	entrepreneurship
غرس	to plant

صِلوا الكلمات التالية بمرادفتها:

تطلع		نيل
امتداد		منح
علاء		سعي
استحصال		سمو
وهب		طول

المفردات

املأوا الفراغ بالكلمة المناسبة:

ذكاء	تعديلات	إصدار	مرسوم	تجربة
تعيين	مريحة	النص	القانون	صفحة

1. .... الدولي هو مجموعة القواعد التي تنظم العلاقات بين الدول.
2. لا تستخفوا بـ .... الغربان، فلديها قدرة خارقة على تمييز الوجوه وتذكرها لفترة زمنية طويلة.
3. أرغب بشراء أريكة .... لأستلقي عليها في الحديقة.

4. صدر .... أمني يحذر المهاجرين من العمل دون الحصول على ترخيص.
5. هل لديك .... في برمجة الكمبيوتر؟
6. لا أعرف كيفية إنشاء .... على مواقع التواصل الاجتماعي.
7. هذا .... مكتوب باللغة الكردية وليس العربية.
8. قامت الشركة بـ .... مدير تنفذي جديد لمشروع الإسكان.
9. قام مجلس الشعب بـ .... قوانين للحد من العنف الأسري.
10. نحتاج إلى إجراء .... على الأجهزة الطبية قبل استخدامها.

أسئلة الفهم

ناقشوا *الأسئلة التالية* في مجموعات لا تزيد عن ثلاثة طلاب:

1. ما هو أهم حدث شهدته انتخابات 2009 في الكويت؟
2. كم كان عدد المرشحات للانتخابات البرلمانية الكويتية؟ وفي أي سنة حققن هذا الإنجاز التاريخي للبلد؟
3. من أفسح المجال للمرأة الكويتية لخوض تجربة المجال السياسي في الكويت؟
4. كم بلغت نسبة مشاركة المرأة في انتخابات 2006 وكيف قيمت هذه النسبة؟
5. متى فازت المرأة الكويتية بحقها في التعليم والدراسة؟

أسئلة المناقشة

ناقشوا *الأسئلة التالية* في مجموعات لا تزيد عن ثلاثة طلاب:

1. كيف يمكن دعم مشاركة المرأة العربية في العمل السياسي؟
2. لماذا النساء دائماً في معزل عن السياسة؟
3. هل تتمتع المرأة بحق المشاركة في جميع الانتخابات على قدم المساواة مع الرجل؟ ولماذا لا يتم استغلال هذا الحق الدستوري؟
4. تخصيص نسبة معيّنة من المقاعد للنساء (الكوتا) يعد وسيلة ناجعة لرفع المشاركة السياسية للمرأة. هل توافق؟ لماذا؟

الترجمة

ترجموا *ما يلي إلى اللغة الإنجليزية*:

تاريخ المرأة الكويتي حافل بالعطاءات التي تخللها الكثير من العوائق والصعاب التي استطاعت تخطيها، فبدأت مسيرتها التعليمية عام 1937، ثم خاضت معترك العمل الوظيفي، فدشنت بذلك أولى محطات العطاء الوطني والمشاركة في التنمية المجتمعية

والاقتصادية. ورغم العثرات والصعاب، إلا أن نجاحات المرأة الكويتية أكسبتها الريادة والسبق على مستوى الخليج، لما وصلت إليه من مناصب وظيفية متعددة وقيادية.

الكتابة

اختاروا موضوعاً واحداً من المواضيع التالية و اكتبوا حوالي 150-200 كلمة:

1. جهود انخراط المرأة في الحياة السياسية لا تزال تواجه العديد من العقبات. من هم الأطراف المسؤولة عن فشل المساواة في المجال السياسي بين الجنسين؟
2. تعدُّ المرأة جزءاً لا ينفصلُ بأيّ حال من الأحوال عن كيان المُجتمع الكُلّي، فهي مُكوّنٌ رئيسي له، بل تتعدّى ذلك لتكون الأهمّ بين كلّ مكوّناته. أبرز دور المرأة في المجتمع.
3. النساء في عالم السياسة إنجاز حقيقي أم حضور شكلي؟

الاستماع والحوار

اذهبوا الى الرابط التالي و ناقشوا المواضيع التي تطرق إليها الفيديو:

https://www.youtube.com/watch?v=nfziNzGkPUc

3

ISLAM AND DEMOCRACY
الإسلام والديمقراطية

UNIT 1: الإسلام السياسي

الإسلام السياسي: النشأة والتمدّد والهيمنة

بقلم: اسلام سعد. نشر بتاريخ 20 نوفمبر 2017

يُجمع كثير من الباحثين على أنّ مصر كانت هي منشأ الإسلام السياسي في الفترة ما بين الحربين عام 1928 من خلال تكوُّن جماعة الإخوان المسلمين. كان حسن البنا أول من تَنَبَّه إلى أنّ الدولة نفسها لا بد أن تكون مسلمة. لا يكفي إسلام المجتمع، أغلبيته، لضمان هيمنة الإسلام التامة.

يمكننا التعامل مع الإسلام السياسي باعتباره ظاهرة حديثة، حداثية (بنت الحداثة الأصيلة)، التي، لولا الحداثة ما تكونت بالأساس. لكنها استمدت كل خلفياتها وأسسها من الماضي الإسلامي/ العربي (على الترتيب). تمددت هذه الظاهرة واكتسبت قبولًا اجتماعيًا بعد هزيمة 1967. ووفق رؤية المفكر المصري الراحل نصر حامد أبو زيد، مرَّت الأمة العربية/ الإسلامية في أغلبيتها بارتداد إلى الأصول والجذور الخاصة بها، "إلى التراث الذي مثَّل للبعض حماية من عراء الهزيمة". وفي الواقع المصري، إن لم يكن على مستوى الواقع العربي ككل، حدث نوعٌ من الردَّةِ العامة (على المستوى الاقتصادي، والاجتماعي والفكري)؛ حيث "تم التراجع عن كل المنجزات التي تحققت في التاريخ العربي الحديث والمعاصر. ولعل من مظاهر التراجع، التحول الذي أصاب الخطاب العربي الذي انتقل من أن يكون خطاب "نهضة" وتحول ليكون خطاب "أزمة".

تمددت ظاهرة الإسلام السياسي واكتسبت قبولًا اجتماعيًا بعد هزيمة عام 1967

من هنا، تحرَّك الإسلام السياسي ليُقدِّمَ نفسه كإمكانية جديدة، ورهان كبير لمساعدة العرب على الخروج من هزائمهم الساحقة. كان هو البديل الفوري لوعود القوميات العربية التي أخفقت بشكل كبير على المستوى السياسي.

DOI: 10.4324/9781003193234-4

وعلى هذا الأساس، لزم على الإسلام السياسي أن يبدو بهيئة النظام الكامل الجاهز، الذي لا ينتظر سوى التفعيل في الواقع. وكان عليه أن يتحرك وفق إجراءين على الأقل؛ يتمثل الأول في أنَّ هذا الوعد جاهز للتطبيق الفوري، والثاني في أنّه لا يحتاج إلى أي مراجعة على مستوى أسسه النظرية أو ممارساته في الواقع. يستمد الإجراء الأول أصالته وقوته كونه يقدم وعدًا سياسيًا بالتقدُّم من خلال الدين نفسه، دين الأغلبية، في تلك اللحظة التي ننشغل بتحليلها، على المستوى الوجداني أكثر من أي مستوى آخر. مفاد هذا الوعد أنّ الدين نظام كامل، وفيه رؤية تشريعية كاملة، تكافئ أو تضاهي في قوتها القوانين الوضعية لكل دولة قُطرية عربية، وبالتالي فهو البديل الأمثل، وهو الذي ستُعلَّق عليه كل الآمال لإنجاز النهضة التي تعثرت كثيرًا فيما مضى. وينبني الإجراء الثاني على هدف ظاهر وهدف خفي؛ ويتبدى الهدف الظاهر في جهة أن الدين - بشكل عام - لا يصح أن يكون موضوعًا للنقد أو الدرس (ولعل هذا سر الأزمة التي نعاني منها حتى الآن!)، ويرقد السبب الثاني متخفيًا تحت السبب الأول، وهو أنّ الجماعة التي قررت أن تجعل الإسلام مهيمنًا على الدولة ونظام حكمها لا يمكن أن تصبح هي نفسها عرضة للمساءلة أو الحكم عليها بأي شكل سلبي؛ لأنها تستمد شرعية وجودها من وجود الدين ولزوم سيطرته على كافة مفاتيح الحياة (والدولة هي المفتاح الأكبر الذي يلزم الاستحواذ عليه).

يمكننا القول بأنّ خطاب النهضة العربي كانت عينه على الآخر بوعي أكبر بكثير من خطاب الإسلام السياسي (المُحافِظ بطبيعته)؛ فالأول انشغل باستلهام العوامل التي ساعدت على تقدم الآخر ولم يغفل عن مساوئه في التوسع والهيمنة، فكان واعيًا بشكل شبه كلي، بينما كان الثاني منشغلًا بشيطنة الآخر وتقديم التراث والماضي باعتبارهما مَعْبَرًا حقيقيًا وأوحد، للمستقبل. وعلى الرغم من أن الواحد من الخطابين لم ينشغل بنقد الشريعة، إلا أنّ خطاب النهضة لم ينقدها؛ لأنه لم يرَ بينها وبين التقدم والنهضة (وبالأحرى الحداثة) أي تعارض، بينما انشغل خطاب الإسلام السياسي بتثبيت الشريعة باعتبارها مجموعة من الأحكام التي تنتمي للتاريخ الماضي ولكنها صالحة لكل زمان ومكان؛ أي إنه قد ألغى المسافة الكبيرة بين الشريعة والفقه، وذلك لتقديم نسخة نهائية، مُغلَقَة، عن الدين (أو بالأحرى التديُّن)، لا يوجد ممثل لها إلا تيار الإسلام السياسي.

احتاج الإسلام السياسي لطاعة الجماهير له، ومن هنا كان خطابه مُحافِظاً بامتياز؛ لأنه لا يريد أن يساهم في تطوير وعي الاجتماع.

استجاب المسلم العربي لدعاوى الإسلام السياسي؛ لأنهم ظنّوا أنّ من يتحدث باسم الدين لن يكون منشغلًا بمكاسب السياسة وأطماعها. لم ير الاجتماع في إقحام الدين، بشكل فجٍّ، في السياسة ونظام حكم الدولة ما يُمَثِّلُ أي تهديد للدين نفسه. ومن هنا حظى الإسلام السياسي بالقبول المجتمعي، وصار لزامًا عليه أن يتحرك في اتجاه السيطرة على الدولة والإمساك بمقاليد الحكم.

احتاج الإسلام السياسي لطاعة الجماهير له، ومن هنا كان خطابه مُحافِظاً بامتياز؛ لأنه لا يريد أن يساهم في تطوير وعي الاجتماع بالقيم الحديثة، التي لا تنشأ إلى في ظل دول حديثة أو دول تحاول جاهدة أن تصل لحداثة حقيقية، وإنما لأنه كان يريد تثبيت انصياع الاجتماع له والإذعان لمقولاته.

إذن، يصبح الارتقاء بالدولة، على مستوى الحقوق الفردية والجماعية والمستوى الأخلاقي، هومجرد هاجس يستعيذ منه ممثلو الإسلام السياسي باعتباره شيطانًا رجيمًا، وتصبح الدولة الحديثة دولة مريضة عندهم يلزم تطويرها مستقبلًا بالعودة للوراء، للسلف الصالح والأنظمة التي كانت تحكم اجتماع شبه الجزيرة العربية، قبل أن يتبلور حتى مفهوم الدولة في سياقهم!.

وكما يذهب المفكر التونسي عبد المجيد الشرفي، فإنّ ما يُعوّض مفهوم "الطاعة" في العصر الحديث هو مفهوم "المواطنة"، وتساوي جميع الأفراد أمام القانون وفي الحقوق كذلك. ولكن هذه القيمة يصعب ابتلاعها وهضمها على مستوى الضمير الجمعي، وعند دعاة الإسلام السياسي.

ومن هنا، يلزم الحديث عن "المواطنة" في فكر الإسلام السياسي، وكيف مارسوا الألاعيب الكلامية في محاولة منهم لتقليص حدود المفهوم وإعطاء الهيمنة الحقوقية للمواطنين المسلمين فقط. ومن ثمّ تظلُّ العلاقة بين المسلم والآخر، داخل الدولة الواحدة، متأزمة في أفق تفكير الإسلام السياسي.

المفردات

منشأ / أصل	origin
فترة ما بين الحربين	interwar period
هيمنة	dominance
حديثة	modern
الحداثة	modernity
استمدت	derived
خلفية	background
هزيمة	defeat
الجذور	the roots
المنجزات / الانجازات	achievements
نهضة	renaissance
المعاصر	contemporary
مفاد / مغزى	outcome/significance
تضاهي	match
البديل الأمثل	perfect replacement
الاستحواذ	acquisition

صِلوا الكلمات التالية بمرادفتها:

منبع		منشأ
صحوة		عراء
طبعة		نهضة
ضائقة		أزمة
خواء		نسخة

المفردات

املأوا الفراغ بالكلمة المناسبة:

ظاهرة	جاهز	تحليل	التراث	مفكر
يؤدّي	اجراء	متفائلا	مُغلَقَة	افاق

1. يتم تعريف .... الثقافي على أنّه مجموعة الموروثات المعنوية، والتي تشمل العادات والتقاليد، العلوم، الآداب والفنون وغيرها.
2. ما زالت الحدود الكندية .... بسبب جائحة كورونا.
3. إدوارد سعيد هو .... عالمي معروف من أصول فلسطينية.
4. ذهبت إلى المستشفى لـ .... بعض الفحوصات الطبية.
5. ما هي .... الاحتباس الحراري، وما هي مخاطرها على مستقبل الحياة في كوكب الأرض؟
6. الخلاف الحاد بين أمريكا وإيران .... إلى تجديد محادثات السلام.
7. هل لديك .... علمي ومنطقي لظاهرة خسوف القمر؟
8. دائماً ينصح علماء العلاقات الإنسانية أن يكون المرء ....
9. من .... حكومة بايدن إبطال قوانين الهجرة الصارمة والعنصرية التي فرضتها حكومة ترامب السابقة.
10. أنا .... للاشتراك في الندوة السنوية لتعزيز مكانة المرأة في المجتمع.

أسئلة الفهم

ناقشوا الأسئلة التالية في مجموعات لا تزيد عن ثلاثة طلاب:

1. كيف ومتى وأين ظهر الإسلام السياسي؟
2. ما هو السبب الخفي وراء ظاهرة الإسلام السياسي؟
3. هل الإسلام السياسي يتعارض مع الحداثة؟

4. لماذا استجاب المسلم العربي لدعاوى الإسلام السياسي؟
5. هل المسلم وغير المسلم في الإسلام السياسي سواسية؟

أسئلة المناقشة

ناقشوا الأسئلة التالية في مجموعات لا تزيد عن ثلاثة طلاب:

1. يناقش النص العلاقة ما بين الإسلام السياسي والحداثة ما رأيكم في هذا التحليل؟
2. ماذا يقصد المفكر المصري نصر حامد أبو زيد بقوله "العودة إلى التراث الذي مثل للبعض حماية من عراء الهزيمة؟
3. لماذا فشل الإسلام السياسي في كثير من الدول العربية ونجح في غيرها؟
4. هل يتعارض فكر الإسلام السياسي مع الديمقراطية؟

الترجمة

ترجموا ما يلي إلى اللغة الإنجليزية:

استجاب المسلم العربي لدعاوى الإسلام السياسي؛ لأنهم ظنّوا أنّ من يتحدث باسم الدين لن يكون منشغلاً بمكاسب السياسة وأطماعها. لم ير الاجتماع في إقحام الدين، بشكل فجٍّ، في السياسة ونظام حكم الدولة ما يُمَثِّلُ أي تهديد للدين نفسه. ومن هنا حظي الإسلام السياسي بالقبول المجتمعي، وصار لزاماً عليه أن يتحرك في اتجاه السيطرة على الدولة والإمساك بمقاليد الحكم.

الكتابة

اختاروا موضوعاً واحداً من المواضيع التالية و اكتبوا حوالي 150-200 كلمة:

1. معظم ممثلي الإسلام السياسي يعتبرون العودة إلى السلف الصالح مسألة ضرورية لتطوير الأمة الإسلامية. ما رأيكم في هذا القول؟
2. مر الإسلام السياسي منذ تأسيسه في مصر عام 1928 بمعرقلات عديدة، بين صعود وهبوط، بين مؤيد ومعارض، فهل انتهى مجد الإسلام السياسي وما هو البديل الناجع؟
3. الإسلام والحداثة: اصطدام أم تعايش؟

الاستماع والحوار

اذهبوا الى الرابط التالي و ناقشوا المواضيع التي تطرق إليها الفيديو:

https://www.youtube.com/watch?v=VMyXaYyuh3Q

UNIT 2: الطائفية والوحدة الوطنية

علي عبد اللطيف فضل الله: لبنان لا يُحكم إلا بالوحدة الوطنية ومواجهة مشاريع التفتيت؟

المصدر: النشرة- اخبار لبنان والشرق الأوسط. نشر بتاريخ 29 مايو 2020

دعا رئيس "لقاء الفكر العاملي" السيد علي عبد اللطيف فضل الله إلى "اعتماد المقاربات الوطنية الجامعة التي لا تخضع حقوق المواطن للمساومات الفئوية والتقسيم الطائفي وكلّ أشكال الاستثمار السياسي لجوع الناس ومعاناتهم".

وشدّد على "ضرورة نبذ السجالات الطائفية والمذهبية العقيمة"، معتبراً "أنّ الأولوية للتوافق الوطني ومواجهة أخطار المشكلة المعيشية الخانقة التي باتت تهدّد الفقراء بالجوع وكلّ مكوّنات الدولة بالسقوط والانهيار".

وعبّر فضل الله "عن الخشية من قانون العفو الذي يُعطي صكّ براءة للقتلة والعملاء والمرتكبين في مناخ التفاهمات السياسية، التي تعزّز الحسابات الطائفية والمذهبية الفاسدة وتكرّس الزبائنية السياسية الرخيصة، مما ينال من هيبة الدولة ويمسّ سلطة العدالة والقانون".

ولفت إلى أولوية "إقرار القوانين التي تلامس هموم الناس وتراعي حاجاتهم"، سائلًا "عن القوانين التي تفعّل محاربة الفساد وتحاكم المشبوهين، وتمنع استمرار سرقة أموال الناس من قبل المصارف وتستردّ الأملاك البحرية المنهوبة والأموال المهرّبة وتعزّز استقلال القضاء لأجل النهوض بمسؤولية الإصلاح الحقيقي".

وأكد "أنّ لبنان لا يُحكم إلا بالتوافق والحوار بين كلّ مكوّناته بعيداً عن منطق الغلبة والاستئثار والإكراه وعن كلّ أشكال الارتهان للخارج"، معتبراً "أنّ الوحدة الوطنية والتفاعل الإنساني هو الوجه الآخر للبنان الذي يحمي المقاومة ويواجه مشاريع التفتيت والفتن والتقسيم"

ودعا إلى "التزام منهج الإمام موسى الصدر في تأكيد ثقافة العيش المشترك التي تحفظ هوية لبنان الحضارية بعيداً عن حسابات تجار السياسة، الذين يغذّون النعرات الطائفية للمحافظة على وجودهم بحجة المحافظة على الدين"، مشدّداً على استلهام رؤية المرجع السيد فضل الله في ترسيخ دعائم دولة الإنسان، التي تعلو فوق عصبيات الطوائف والمذاهب وتجمع ما تفرّقه السياسة، من خلال قيم الانفتاح التي لا تسمح للسياسيين وأصحاب النمط الواحد بأن يتحكّموا بالمصير".

ودعا فضل الله إلى "اعتماد "خطاب ديني لا طائفي يرتقي إلى مستوى حضارية الإسلام والمسيحية، ويجمع كلّ النيّرين والعقلاء على بناء لبنان الواحد ومواجهة حالات التطرف والتعصّب والارتهان".

المفردات

fragmentation	التفتيت / التشتت
useless/pointless	عديم الفائدة / عديم الجدوى
fall/downfall	سقوط / انهيار

خَشية / خوف	fear
عفو	amnesty
البراءة	innocence
عميل	agent
الهيبة	prestige
العدالة	justice
لفت إلى / أشار إلى	pointed out
محاربة (معركة) الفساد	fight (battle) on corruption
استرد / استرجع	reclaimed/regained/retrieved
نهوض	advancement
حوار	dialogue
غلبة / سيادة	victory/prevalence
إكراه / إجبار	pressure/coercion

صِلوا الكلمات التالية بمرادفتها:

لقاء		اتكال
اعتماد		مقابلة
عقيم		قيمة
هيبة		قلب
صدر		عاقر

المفردات

املأوا الفراغ بالكلمة المناسبة:

الخطاب	استلهام	حسابات	رخيصة	حقوق
التعصّب	القيّم	الأملاك	المساومة	التقسيم

1. أكد .... الملكي على دور القطاع الخاص في دعم التنمية المحلية.
2. حذرت الولايات المتحدة من محاولة صينية لاقتحام .... مستخدمي تطبيق تيك توك.

3. خطة .... هو الاسم الذي أطلق على قرار الجمعية العامة التابعة لهيئة الأمم المتحدة بالموافقة على تجزئة فلسطين عام 1947

4. رفض الرئيس محمود عباس .... على حقوق الشعب الفلسطيني عبر تقديم إغراءات اقتصادية.

5. قال الدكتور حافظ غانم "إنّ الغذاء لم يعد سلعة .... كما كان في السابق.

6. اعتدت مجموعة من الشباب على .... العامة بهدف السرقة والتخريب.

7. إن .... الفاضلة والخصال الحميدة من أعظم الصفات التي يمكن أن تتحلى بها المجتمعات.

8. دعا إمام المسجد إلى .... دروس شهر رمضان الكثيرة والمتمثلة في الرحمة والأخوة والمحبة.

9. على جميع المجتمعات نبذ ظاهرة .... الديني.

10. استضافت الجامعة مجموعة من الباحثين للمشاركة في ندوة حول .... المرأة في الإسلام.

أسئلة الفهم

ناقشوا الأسئلة التالية في مجموعات لا تزيد عن ثلاثة طلاب:

1. ما هو مضمون دعوة السيد علي عبد اللطيف فضل الله؟
2. ما هي الانعكاسات السلبية الناتجة عن قانون العفو؟
3. كيف تؤثر القوانين إيجاباً على المجتمع ونهضته؟
4. من هم "تجار السياسة"؟ وما هي الوسائل التي يعتمدونها لتزييف الواقع؟
5. أي الديانات تطغى على المجال السياسي في لبنان؟

أسئلة الفهم

ناقشوا الأسئلة التالية في مجموعات لا تزيد عن ثلاثة طلاب:

1. كيف ينظر الغرب إلى الإسلام السياسي؟
2. هل يشكل الإسلام السياسي خطراً على المسلمين المعتدلين؟
3. هل الإسلام السياسي يعادل التطرف؟
4. ناقشوا أثر الطائفية على الوحدة الوطنية، ومن المستفيد من الطائفية.

الترجمة

ترجموا ما يلي إلى اللغة الإنجليزية:

ولفت إلى أولوية "إقرار القوانين التي تلامس هموم الناس وتراعي حاجاتهم"، سائلًا "عن القوانين التي تفعّل محاربة الفساد وتحاكم المشبوهين وتمنع استمرار سرقة أموال الناس من قبل المصارف وتستردّ الأملاك البحرية المنهوبة والأموال المهرّبة، وتعزّز استقلال القضاء لأجل النهوض بمسؤولية الإصلاح الحقيقي".

الكتابة

اختاروا موضوعاً واحداً من المواضيع التالية و اكتبوا حوالي 150-200 كلمة:

1. "ربط السلطة السياسية بالسماء، جعل خلفاء المسلمين، ينظرون إلى أنفسهم على أنهم خلفاء الله، أو وكلاؤه في السلطة". هل تتفق مع هذا القول؟
2. "أراد الله للإسلام أن يكون ديناً، وأراد به الناس أن يكون سياسة"! (الإسلام السياسي، محمد سعيد العشماوي). حلل هذه المقولة.
3. كيف تؤثر الطائفية على بلورة الهوية الوطنية؟

الاستماع والحوار

اذهبوا الى الرابط التالي و ناقشوا المواضيع التي تطرق إليها الفيديو:

https://www.youtube.com/watch?v=_ANZGsv0q68

UNIT 3: تجليات الديمقراطية

الديمقراطية العراقية تلفّها غمامة

بقلم: كيرك سويل. نشر بتاريخ 01 نوفمبر 2019

تسببت المنظومة السياسية العراقية - حيث يتفشّى التزوير الانتخابي - باندلاع احتجاجات واسعة بعد انقضاء عامٍ واحد على الانتخابات الوطنية الأخيرة.

سدّدت موجة الاحتجاجات التي شهدها العراق في الأسابيع القليلة الماضية ضربة قوية للمنظومة السياسية القائمة في البلاد بعد عام 2013، فلجوء الحكومة إلى العنف ضد المتظاهرين السلميين قوّض إلى حد خطير شرعية المنظومة. وقد يَدفَع رئيس الوزراء عادل عبد المهدي - الذي مضى عامٌ واحد على تسلّمه منصبه في 25 تشرين الأول/أكتوبر 2018 - إلى الاستقالة مرغماً. ولكن العراق يمتلك - بالمعنى الشكلي - منظومة سياسية ديمقراطية. وقد أُجريَت انتخابات وطنية في أيار/مايو 2018، ومن المزمع إجراء الانتخابات المحلية التي طال انتظارها، في الأول من نيسان/أبريل من العام المقبل، أي بعد أقل من ستة أشهر. وهذا يدفعنا إلى طرح السؤال الآتي، لماذا شعر عدد كبير من العراقيين في المحافظات ذات الأكثرية الشيعية – وهؤلاء ينتخبون النخبة السياسية – بالحاجة إلى النزول إلى الشارع من أجل إسقاط الحكومة؟

يتمثل جزءٌ من المشكلة في صيغة قانون الانتخابات العراقي. فالقانون الجديد الذي أُقِرّ في 22 تموز/يوليو الماضي لتنظيم الانتخابات المحلية أتاح انطلاق الآلية لإجراء أول انتخابات محلية في البلاد منذ عام 2013. وعلى النقيض من مجلس النواب الذي

حُدِّدت ولايته بأربع سنوات في الدستور، والذي تنتهي سلطته تلقائياً بانقضاء ولايته، حُدِّدت ولاية مجالس المحافظات بأربع سنوات بموجب القانون الذي ينص على تمديد الولاية تلقائياً عند تأجيل الانتخابات المحلية. فيما تمتلك الحكومة سلطة الدعوة إلى الانتخابات، حدّد مجلس النواب يوم الأول من نيسان/أبريل 2020 موعداً لإجراء الانتخابات في المادة 13 من القانون الجديد.

ولكن حتى قبل الجولة الأخيرة من الاحتجاجات، كانت الإمكانات التمثيلية التي تتيحها المنظومة الانتخابية موضع تشكيك. ففي العام الماضي، بلغت نسبة الاقتراع في الانتخابات النيابية 44% فقط، وهي نسبة متدنّية. ويمنح القانون الانتخابي الجديد الأفضلية للفصائل المسيطِرة، وعلى ضوء ما شهدته انتخابات العام الماضي من شوائب وخيبة من الفضائح التي طالت معظم المجالس المحلية، من الممكن أن تُسجّل نسبة المشاركة في الانتخابات مزيداً من التراجع. وإذا كانت النتيجة الوحيدة للانتخابات هي إحداث تحوّل في ميزان القوى داخل الطبقة الحاكمة التي يُنظَر إليها بأنها سلطة كالتيوقراطية، فهي لن تتمكن إذاً من دفع البلاد نحو الأمام.

يمنح القانون الجديد أفضلية للكتل الكبيرة، أي للطبقة السياسية المسيطِرة التي تواجه نقمة شعبية عارمة. وفي هذا الإطار، قدّم رئيس الوزراء عبد المهدي مشروع قانون إلى مجلس النواب تضمّنَ سلسلة من التعديلات للقانون المعتمد، ومنها إجراءات الهدف منها تعزيز استقرار المجالس المحلية، وتخصيص 30% من المقاعد للمرشحين الذين ينالون العدد الأكبر من الأصوات، بغض النظر عن انتماءاتهم الحزبية. وشكّل هذا البند الأخير خطوةً نحو الأمام من أجل إرساء توازن في منظومة الاقتراع، التي تمنح الأفضلية للكتل الكبرى، وهذا يُتيح لأشخاص بارزين على المستوى المحلي ولا ينتمون لأي تنظيم وطني، فرصةً للمنافسة في الانتخابات.

لكن اللجنة النيابية المكلّفة بإدارة مشروع القانون عمدت إلى تمزيق نسخة عبد المهدي، ونبْذ إصلاحاته الأساسية كافةً. ويُعتبَر البند المتعلق بآلية إجراء الانتخابات في المادة 9 هو الأكثر أهمية. لقد جرى تغيير قانون الانتخاب الوطني بعد الانتخابات المحلية في عام 2013، والتي فاز فيها عدد كبير من الأحزاب المحلية الصغيرة بمقاعد. وقد عبّر رئيس الوزراء آنذاك نوري المالكي بوضوح عن الحاجة إلى تعديل القانون بعد تلك الانتخابات، معتبراً أنه "أنتج مجالس ضعيفة". وكان المالكي يقصد بذلك ما يُسمّى "صيغة سانت ليغو"، وهي صيغة أوروبية لتوزيع المقاعد، حيث تُقسَم الأصوات الحزبية بأعداد مفرَدة متعاقبة بدءاً من 1.0 (عند زيادة العدد المقسوم عليه أو القاسم، يصبح من الأصعب على الأحزاب الفوز بمقعدها الأول). وبموجب هذه الصيغة، لا يتأثر توزيع المقاعد بعد المقعد الأول، ولذلك غالباً ما تهدف التغييرات التدريجية في القاسم إلى جعل الأحزاب الصغيرة تواجه صعوبة أكبر في الفوز بمقعدها الأول. وقد قُسِمت الأصوات بـ 1.7 في الانتخابات الوطنية في عام 2014 ثم عام 2018، ونجح هذا الإجراء في إقصاء الأحزاب الصغيرة. نتيجةً لذلك، تطالب الأحزاب الراسخة برفع القاسم إلى 1.9 لأن ذلك يصب أكثر في مصلحتها. وقد أدرج عبد المهدي هذا الرقم في مشروع القانون الذي وضعه فيما أضاف أيضاً بنداً داعِماً للمرشحين المحليين (وردت الإشارة إليه آنفاً) لإرساء توازن معيّن.

وتَظهر هذه النزعة أيضاً في خفض عدد المقاعد في كل واحد من المجالس. تُجري المادة 18 تعديلًافي القانون الحالي، بحيث يصبح لكل مجلس 10 أعضاء، فضلاً عن

عضو إضافي لكل 200000 نسمة. ولا يشتمل هذا العدد على المقاعد المخصصة للأقليات، والتي تُضاف أيضاً إلى المقاعد العشرة. وعلى هذا الأساس، سينخفض عدد الأعضاء في مجلس البصرة من 35 إلى 10. يؤثّر هذا البند في صيغة توزيع المقاعد على نحوٍ يزيد من الحد الأدنى للأصوات المطلوب للفوز بمقعد.

ويجب النظر إلى هذه البنود في سياق الوضع السياسي القائم. ففي الأنظمة الديمقراطية التي تنعم بمؤسسات متطورة وشفّافة، قد يكون اعتماد قانون يُقصي الأحزاب الصغيرة مبرَّراً، باعتباره شرطاً مسبقاً للاستقرار في الحوكمة. ولكن نجاح هذا الأمر رهنٌ بديمقراطية الأحزاب المهيمنة، بيد أن الأحزاب السياسية في العراق هي بمثابة أدوات لإيصال الأشخاص أنفسهم الذين يتولون إدارة شؤون البلاد منذ عام 2005. من غير الوارد مثلاً أن يطالب مواطن من البصرة ينتمي إلى الفرع المحلي لائتلاف دولة القانون بزعامة المالكي، بانسحاب المالكي من السياسة أو أن يبدي معارضته لآرائه. جميع الأحزاب العراقية الكبرى، سواءً كانت شيعية أو سنّية أو كردية، تعمل بهذه الطريقة.

وهكذا، في منتصف تشرين الأول/أكتوبر، وفي أعقاب موجة العنف الواسعة التي طالت المتظاهرين في وقت سابق من الشهر الماضي، استعان الرئيس برهم صالح بمجموعة من الخبراء القانونيين لوضع قانون جديد لإصلاح النظام الانتخابي. الرئاسة العراقية هي منصبٌ شكلي بصورة أساسية، لكنها تمتلك سلطة اقتراح التشريعات. وقد بثَّت محطات التلفزة الكلمة الافتتاحية التي ألقاها صالح أمام أعضاء المجموعة والتي ذكر فيها أن النظام الانتخابي الراهن لا يُلبّي مطالب الشعب، وذلك بهدف توجيه رسالة مفادها أن هناك مَن يصغي إلى الشعب في دوائر السلطة.

في الواقع، كان صالح الزعيم الأساسي الوحيد الذي استجاب للاحتجاجات على مستوى الإصلاح البنيوي. فعبد المهدي - وعلى الرغم من اعتماده خطاباً موجَّهاً نحو الإصلاح - ركّزَ على البرامج القائمة على المحسوبيات، مثل وهب الأراضي وبرامج الرعاية الاجتماعية. ولعله أعاد النظر لاحقاً في المسألة، ما دفعه في 24 تشرين الأول/أكتوبر - أي عشية الانطلاقة المقررة لموجة جديدة من الاحتجاجات - إلى الالتزام بإجراء إصلاحات انتخابية وإدراج هذا البند في برنامجه. ولكن أحداث الأسبوع الماضي كشفت أن خطابه الذي كان عبارة عن محاضرة من 33 دقيقة مليئة بالمصطلحات التكنوقراطية، لم ينجح في ممارسة أي تأثير على الإطلاق.

والعامل الأساسي الثاني الذي تسبب بتقويض الثقة بالنظام الانتخابي هو اندلاع الاحتجاجات بعد عامٍ واحد فقط على الانتخابات الوطنية الأخيرة في العراق، والتي شابها تزوير في النتائج. وقد كشف سعيد كاكائي، عضو المفوضية العليا المستقلة للانتخابات، عن تباينات كبيرة، كما زعم، بين السجلات الانتخابية لتعداد الأصوات والنتائج التي أُعلِن عنها في جميع المناطق الكردية (بما في ذلك كركوك ونينوى) وفي صلاح الدين والأنبار. وقد أجرت الحكومة تحقيقاتها الخاصة ووجدت تزويراً واسعاً، وأوصت بملاحقة عدد من المسؤولين في القضاء.

وفي هذا الإطار، انبعثت آمالٌ بأن يُشكّل فضح التزوير الانتخابي حافزاً للتغيير، لكنها سرعان ما تبدّدت. فقد أقرّ مجلس النواب قانوناً يقضي بأن يتولى القضاة الإشراف على إعادة فرز الأصوات، بدلاًمن أن يتولى ذلك أعضاء المفوضية العليا المستقلة للانتخابات، الذين وُجِّهت إليهم انتقادات لاذعة اتّهمتهم بالفساد وعدم الكفاءة. وقد أبدى

القضاء موافقته على هذه الخطوة. ولكن تأثير إعادة الفرز على النتائج كان طفيفاً. بل أكثر من ذلك، تلاشت الملاحقات القضائية بحق العديد من المسؤولين من دون صدور أي إدانة ولا تقديم تفسيرات علنية. فمحمد الكربولي، زعيم كتلة "الحل" النيابية، وهو واحد من نائبَين خسرا مقعدَيهما في إعادة الفرز، بقي في البرلمان بموجب "صفقة" مزعومة تخلّى بموجبها أحد نواب كتلة الحل عن مقعده مقابل تعيينه محافظاً على الأنبار.

أما الشائبة البنيوية الثالثة فتتمثل في تشويه نتائج الانتخابات بسبب تفشّي الصفقات خلف الكواليس، وضعف آلية مكافحة الفساد، مما أفضى إلى انتقال عدد كبير من النواب المنتخبين وأعضاء المجالس المحلية من حزب إلى آخر. وعلى المستوى الوطني، أفضى ذلك إلى انتخاب عبد المهدي رئيساً للوزراء، مع أنه لم يتزعّم حزباً في الانتخابات، ما يعني أنه لا يتمتع بتفويض انتخابي. وعلى مستوى المحافظات، تسبب ذلك بتبدُّل المحافظين ورؤساء المجالس بصورة منتظمة، مع انتقال الممثلين المنتخَبين من ضفة إلى أخرى. وهكذا، في المحافظات الاتحادية الخمس عشرة، محافِظ ميسان، علي دواي، هو الوحيد الذي انتُخِب في عام 2013 ولا يزال في منصبه، في حين تعاقب ثلاثة محافظين أو أكثر على المنصب في محافظات عدة. تسيطر المجموعة الصغيرة نفسها من الفصائل على كل واحدة من المحافظات. وأكثر من ذلك، عندما يواجه محافظٌ ما فضيحة أو احتجاجات، يُستبدَل بعضو آخر في المنظومة الكلبتوقراطية.

لا يُحوّل أيٌّ من هذه العوامل الأنظار بعيداً عن الأهمية التي تكتسيها الانتخابات بالنسبة إلى الأحزاب السياسية العراقية، فالفوز بمقاعد هو بمثابة البوابة التي يدخلون من خلالها إلى منظومة المحسوبيات، عن طريق الوزارات والتعيينات التنفيذية والمناقصات. ولكن بالنسبة إلى العراقيين الذين ينزلون إلى الشارع احتجاجاً على النظام الانتخابي بحد ذاته، فإن السؤال الكبير المقبل فيما يتعلق بالديمقراطية العراقية، قد لا يكون "مَن هي الجهة التي ستحقق الفوز؟"، بل إن السؤال هو ما إذا كان ممكناً إقناع الناخبين بأن هوية الجهة الفائزة هي مسألةٌ مهمة فعلاً!

المفردات

التزوير / التزييف	forgery
اندلاع	outbreak
الاحتجاجات	protests
لجوء	resort
المزمع / المخطط	planned
تمديد	extension
مقاعد	seats
وهب	gifting
البند / الجزء	section

practice	ممارسة
minorities	أقليات
exposed	فضح / كشف
faded	تلاشت
backstage	الكواليس
victory	الفوز
identity	هوية

صِلوا الكلمات التالية بمرادفتها:

إطاحة		اندلاع
تطويل		إجراء
ارتداد		إسقاط
نشوب		تمديد
تدبير		انسحاب

المفردات

املأوا الفراغ بالكلمة المناسبة:

خطيرا	الجولة	التراجع	القائم	إصلاح
المواطنة	شوائب	خيبة	موجة	الزعيم

1. انتهت .... الأولى بتعادل سلبي بين الفريقين دون إحراز أي أهداف.
2. .... صفة تطلق على الشخص القيادي.
3. من الأقوال الشهيرة: من .... العرب تولد الكراهية.
4. أحياناً ما يكون .... عن الخطأ هو القرار الأفضل والصواب.
5. .... من الغضب اجتاحت الشوارع المصرية، بعد قرار الحكومة بخصخصة بعض الشركات التابعة لها.
6. من .... على بناء المشروع التجاري في المدينة السياحي؟
7. تحاول الدولة جاهدة تعزيز روح .... لدى طلاب المدارس منذ المرحلة الابتدائية.
8. هناك .... أمل في صفوف المحافظين من أداء حكومة جونسون في احتواء وباء كورونا.

9. يُعد الإفراط في شرب الكحول أمراً ....
10. صرح الرئيس الأمريكي عن نيته في تخصيص جزء كبير من ميزانية الدولة لأجل البنية التحتية ....

أسئلة الفهم

ناقشوا الأسئلة التالية في مجموعات لا تزيد عن ثلاثة طلاب:

1. ما سبب انهيار المنظومة السياسية في العراق؟
2. كم بلغت نسبة الاقتراع سنة 2018؟ وكيف قيّمت تلك النسبة؟
3. ماذا يتضمن القانون الانتخابي الجديد؟
4. ما هي الحلول التي قدمت من أجل محاربة ظاهرة التزوير الانتخابي؟
5. كيف وصف الكاتب نمط ونظام الحكم العراقي؟

أسئلة المناقشة

ناقشوا الأسئلة التالية في مجموعات لا تزيد عن ثلاثة طلاب:

1. هل كان فشل النظام السياسي في العراق ناتجاً عن مخلفات الحرب على البلد؟
2. متى يثور الشعب وينقلب على رؤسائه؟
3. ما هي معايير نزاهة الانتخابات الرئاسية والحكومية؟
4. هل المحسوبية والزبونية الانتخابية أسباب عدم الاستقرار السياسي؟

الترجمة

ترجموا ما يلي إلى اللغة الإنجليزية:

سدّدت موجة الاحتجاجات التي شهدها العراق في الأسابيع القليلة الماضية ضربة قوية للمنظومة السياسية القائمة في البلاد بعد عام 2013، فلجوء الحكومة إلى العنف ضد المتظاهرين السلميين قوّض إلى حد خطير شرعية المنظومة. وقد يُدفَع رئيس الوزراء عادل عبد المهدي - الذي مضى عامٌ واحد على تسلّمه منصبه في 25 تشرين الأول/ أكتوبر 2018 - إلى الاستقالة مرغماً. ولكن العراق يمتلك بالمعنى الشكلي منظومة سياسية ديمقراطية.

الكتابة

اختاروا موضوعاً واحداً من المواضيع التالية و اكتبوا حوالي 150-200 كلمة:

1. منتج الديمقراطية يحظى بشعبية واسعة في متجر أنظمة الحكم. بنظرك، هل هو الخيار الأفضل؟

2. يوجد العديد من الأنظمة الانتخابية بسبب تعدد الغايات والطرق. فما هو النظام الانتخابي الأمثل في رأيك؟

3. لماذا تفشل بعض الدول في تشكيل حكومات جديدة؟

الاستماع والحوار

اذهبوا الى الرابط التالي و ناقشوا المواضيع التي تطرق إليها الفيديو:

https://www.youtube.com/watch?v=8vtLyXQ3s6I

4

THE ECOLOGY OF CLIMATE CHANGE
البيئة وتغير المناخ

UNIT 1: الآثار السلبية للتغير المناخي على الفقراء

"التمييز العنصري" المناخي: الأغنياء يلوثون والفقراء يضرسون

بقلم: عبد الهادي نجار. نشر بتاريخ 18 أغسطس 2019

موجة الحر غير المسبوقة التي اجتاحت أوروبا، هذا الصيف، وشهدت تسجيل درجات حرارة هي الأعلى في تاريخ بعض البلدان، ليست تقلّباً عادياً في حالة الطقس، وإنما اتجاه عام يتواصل سنةً بعد سنة، ويشير إلى حصول تغيُّر مناخي ظاهر للعيان

هذه الوتيرة غير المسبوقة في تغيُّر المناخ لا تمثّل حالة وقتية عارضة، وفق ما تؤكده ثلاث أوراق بحثية نُشرت مؤخراً في دورية «نيتشر»، تخلص إلى أن الاحترار الحالي لا مثيل له منذ ألفي سنة. وتعتبر الإحصاءات التي تضمنتها هذه الأبحاث أقوى إثبات حتى اليوم على تعاظم التغيُّر المناخي بسرعة قياسية تستلزم المعالجة الفورية من دون تأجيل.

وبينما تترك هذه التطورات المتسارعة أثرها الملموس في جميع الأرجاء، يواجه نحو ملياري شخص من الناس الأكثر فقراً حول العالم تهديداً استثنائياً بفقدان سبل العيش وخسارة الموطن لأسباب مختلفة، يأتي في مقدمها تغير المناخ.

ويصف فيليب ألستون، مقرر الأمم المتحدة الخاص المعني بالفقر المدقع وحقوق الإنسان، ما نراه حالياً بأنه «عصر جديد من الفصل العنصري المناخي»، حيث يشتري الأغنياء لأنفسهم مخرجاً يهربون عن طريقه من ظواهر ارتفاع الحرارة والجوع، بينما يعاني الآخرون. ويضيف أنه حتى لو تسنّى للعالم تحقيق الأهداف المناخية الحالية «فسيظل هناك عشرات الملايين من الفقراء، مما سيؤدي إلى حالات واسعة من النزوح والتعرض للجوع». واللافت أن الفقراء مسؤولون عن جزء بسيط فقط من الانبعاثات العالمية، وفي المقابل «يتحملون الوطأة الأكبر لتغيُّر المناخ، مع قدرة أقل على حماية أنفسهم من تبعاته».

DOI: 10.4324/9781003193234-5

- كيف يتأثر الفقراء بتغيُّر المناخ؟

يؤدي تغير المناخ إلى زيادة الضغط على بيئتنا، وكذلك على أنظمتنا الاقتصادية والاجتماعية والسياسية، وهو يقوّض مكاسب التنمية ويؤدي إلى نقص في الضروريات الأساسية. وتفيد دراسة نُشرت قبل أشهر بأن التغير المناخي أدى على مدار نصف القرن الماضي إلى تفاقم التفاوت بين دول العالم، إذ عرقل النمو في البلدان الأكثر فقراً، بينما أفضى على الأرجح إلى زيادة معدلات الرفاهية في بعضٍ من أكثر دول العالم ثراء.

ويشير باحثو جامعة ستانفورد في هذه الدراسة إلى أن الفجوة بين الدول الأشد فقراً وتلك الأكثر ثراءً، تزيد الآن بنسبة 25% عمّا كانت ستصبح عليه لو لم تشهد الأرض ظاهرة الاحتباس الحراري، وما ينتج عنها من ارتفاع لدرجة حرارة الكوكب.

ووفقاً لتقديرات سابقة، فقدت الأرض نحو ثلث الأراضي الصالحة للزراعة على مدار الأربعين عاماً الماضية. ويُعزى ذلك بشكل كبير إلى كوارث المناخ وضعف الحماية وخسارة المزيد من الأشجار والتربة كل عام. ويعيش أكثر من 1.3 مليار شخص على الأراضي الزراعية المتدهورة، مما يعرضهم لخطر تراجع الإنتاجية، الذي يمكن أن يؤدي إلى تفاقم الجوع والفقر والتشرد.

ومع تكرار الكوارث وارتفاع قوتها التدميرية، ازداد عدد الأشخاص المتضررين من نحو 100 مليون في 2015 إلى 204 ملايين في 2016. وتضاعفت الخسائر العالمية من 50 مليار دولار سنوياً في الثمانينات إلى 200 مليار دولار خلال العقد الأخير. وجاءت سنة 2017 لتقرع ناقوس الخطر في هذا الشأن، إذ بلغت خسائر العالم 340 مليار دولار نتيجة الكوارث الطبيعية المدمرة. وهذه أرقام لا تستطيع المجتمعات الفقيرة تحمل تبعاتها.

وعلى سبيل المثال، شهدت الفلبين إعصاراً مدمراً في سنة 2013 أثّر على 14 مليون شخص. وكانت مجتمعات كثيرة ضربتها الأعاصير تعاني في الأساس ضعفاً في البنية التحتية، ولم تكن لديها القدرة على التعامل مع مثل هذا الحدث الكارثي، مما تسبب في زيادة حدة الفقر.

غالباً تكون المناطق التي تعاني من الفقر غير قادرة على التعافي من الكوارث الطبيعية بدون دعم مالي ولوجيستي ضخم. ووفقاً لتقرير من منظمة «أوكسفام»، فعندما تضرب كارثة دولة مرتفعة الدخل، يموت 23 شخصاً في المتوسط، في حين يموت 1052 شخصاً في البلدان الأقل نمواً.

ويتعرض الناس أيضاً للتهديد بسبب التغيُّرات التدريجية، مثل ارتفاع درجات الحرارة وانخفاض معدل هطول الأمطار. وقد أثّرت حالات الجفاف وحدها على أكثر من مليار شخص خلال العقد الماضي. وتظهر بيانات 2017 الصادرة عن البنك الدولي أن الجفاف منذ 2001 تسبب في خسارة العالم كميات من المنتجات تكفي لإطعام 81 مليون شخص يومياً كل سنة، أي ما يعادل سكان بلد بحجم ألمانيا.

ولذلك يُعدّ تغيّر المناخ أحد الأسباب المحورية لنشوب الصراعات في جميع أنحاء العالم، فهو يؤدي إلى نقص الغذاء، ويهدد سبل عيش الناس، ويدفع بمجتمعات كاملة للنزوح عن مواطنها. وعندما لا تكون المؤسسات والحكومات قادرة على إدارة الضغوط أو امتصاص الصدمات الناتجة عن تغير المناخ، تزداد المخاطر بفقدان الاستقرار.

ففي جمهورية الكونغو الديمقراطية - على سبيل المثال - تؤدي التغيرات في توقيت وكمية هطول الأمطار إلى تقويض إنتاج الغذاء، وزيادة التنافس على الأراضي المتاحة للزراعة، مما يسهم في حصول توترات عرقية ونشوب النزاعات. وفي أماكن مثل وسط نيجيريا، تُمثل نُدرة الموارد تحدياً مزمناً يتأثر بتغير المناخ، من خلال تراجُع رقعة المراعي ونضوب موارد المياه، مما يؤدي إلى نشوب النزاعات المتكررة بين الرعاة والمزارعين. ويربط كثير من الباحثين بين تغير المناخ والنزاعات المسلحة التي نشهدها في عالمنا العربي، لا سيما في سوريا.

مخاطر مستقبلية تفوق التوقعات

تستمر آثار تغير المناخ في تجاوز توقعاتنا السابقة، حيث من المحتمل أن يصبح الحصول على المياه النظيفة أكثر محدودية، وسيكون خطر فقدان الأمن الغذائي أكبر مما هو عليه اليوم. وبحلول عام 2050، يُمكن لتغير المناخ أن يتسبب بزيادة عدد الأشخاص المعرّضين لخطر الجوع بنسبة تصل إلى 20%، لا سيما في أفريقيا. ومن المتوقع إجبار عشرات الملايين من الناس على ترك منازلهم في العِقد المقبل نتيجة لتغير المناخ، وسيؤدي ذلك إلى أكبر أزمة لاجئين يشهدها العالم على الإطلاق.

وفي الفترة ما بين 2030 و2050، من المتوقع أن يتسبب تغير المناخ في وفاة 250 ألف شخص إضافي كل عام بسبب سوء التغذية والملاريا والإسهال والإجهاد الحراري، مع الاستمرار في تعريض الهواء النظيف ومياه الشرب المأمونة وإمدادات الغذاء للخطر.

وتسعى كثير من البلدان إلى تبنّي إجراءات مبتكرة للتكيف مع تغير المناخ، كملاجئ الأعاصير في بنغلاديش، وإعادة ترميم المفقود من أشجار المانغروف في فيجي، وأنظمة الإنذار المبكر للأمطار الغزيرة في ريو دي جانيرو. لكن هذه الجهود لن تثمر، ما لم يكن هناك دمج لخطط التكيُّف مع برامج التنمية الوطنية لدعم النمو الاقتصادي والحد من الفقر وتحفيز الاستثمار على نطاق واسع.

وفي بعض المواقع، ستتطلب مواجهة الآثار المناخية تغييراً جذرياً في آلية إنتاج الغذاء وكيفية إدارة الأرض من أجل حماية مكاسب التنمية وتقليل خطر تصاعد الصراعات.

من المهم تسليط الضوء على قصص النجاح في تكيُّف كثير من المجتمعات مع آثار تغيُّر المناخ. ففي البرازيل مثلًا زاد الباحثون من إنتاج القهوة بنسبة 20%، عن طريق نقل الإنتاج إلى مناطق أقرب إلى غابات الأنواع الأصلية التي كانت تحمي النباتات من أشعة الشمس وارتفاع درجات الحرارة.

ومن ناحية أخرى، يجب تسهيل التعاون وتبادل المعرفة بين البلدان الأفقر في الجنوب، التي تقف في الخطوط الأمامية للتكيُّف مع التغيُّرات المناخية. ويعمل «اتحاد جامعات البلدان الأقل نمواً» منذ مطلع 2017 لدعم تبادل المعرفة بين جامعات البلدان النامية ومعاهدها التدريبية. كما تقدم مبادرة «التكيّف مع أفريقيا» مثالًآخر على الجهد الفعال والمنسّق، لتسريع إجراءات التكيُّف على نطاق واسع، من خلال مساعدة الحكومات على تطوير وتنفيذ خطط التكيّف الوطنية، والوصول إلى تمويل ملائم للتصدي للتغيُّر المناخي، وتعزيز خدمات المعلومات المناخية.

إذا استمرت الاتجاهات الحالية المتسارعة للاحترار العالمي، فإن آثاره ستدفع 100 مليون شخص إضافي إلى الفقر بحلول عام 2030. والطرق المبتكرة التي يتعامل بها الأشخاص والمنظمات مع آثار تغير المناخ على الفقراء أمر مشجع، لكنها لا تكفي وحدها ما لم تكن الدول الغنية جادة في خفض الانبعاثات ورفع الضرر.

المفردات

يضرسون / يدفعون الثمن	they pay the price
موجة	wave
اجتاح	swept
ظاهر للعيان	visible
الوتيرة	the pace
التطورات	developments
الملموس / الفعلي	concrete
أوراق بحثية	research papers
دورية	patrol
إثبات	proof
سرعة قياسية	record speed
المعالجة الفورية	immediate treatment
فقدان / خسارة	loss
سبل العيش	ways of living
الفقر المدقع	extreme poverty
تفاقم	aggravation

صلوا الكلمات التالية بمرادفتها:

ظاهر		تأخير
تأجيل		أسفر
مخرج		متجل
أفضى		توعّد
تهديد		منفذ

المفردات

املأوا الفراغ بالكلمة المناسبة:

الموجة	ارتفاع	التنمية	الأرجح	إدارة
الملموس	التحقيق	رفاهية	الخسائر	الضرر

1. هل تعلم أن .... فوق الصوتية لها استخدامات طبية!
2. لقد قامت السلطة بتقييم .... الناجمة عن الحريق الذي نشب في البناية.
3. صرح رئيس الدولة عن خطة .... الاقتصادية للعام القادم.
4. أنا لا ألومك! فأنت تملك المال، ويحق لك العيش بـ ....
5. أفاد القاضي أن المحكمة لا تقبل إلا الدليل ....
6. قال رئيس الوزراء الإثيوبي آبي أحمد إنّ بلاده لا تهدف إلحاق .... بمصر والسودان.
7. توقع محللون استمرار .... أسعار البنزين في الولايات المتحدة.
8. هناك من يؤمن أنه لا يوجد مشروع فاشل، وإنما هناك .... فاشلة.
9. على ....، سيهطل المطر طوال الأسبوع.
10. أفادت شرطة القاهرة أن .... جارٍ في ملابسات قضية الفساد.

أسئلة الفهم

ناقشوا الأسئلة التالية في مجموعات لا تزيد عن ثلاثة طلاب:

1. من هم المسؤولون الرئيسيون في أزمة الانبعاثات العالمية؟
2. ما هي علاقة تغير المناخ بالاقتصاد الوطني؟
3. كيف يتأثر الفقراء بالتغيير المناخي؟
4. الدول الفقيرة تعاني كثيراً من التغيير المناخي مقارنة بالدول المتقدمة، لماذا؟
5. ما هي الآثار الكارثية المتوقع حدوثها بسبب الاحتباس الحراري خلال العقد القادم؟

أسئلة المناقشة

ناقشوا الأسئلة التالية في مجموعات لا تزيد عن ثلاثة طلاب:

1. ماذا يعني كاتب المقال بقوله: "عصر جديد من الفصل العنصري المناخي"؟
2. كيف يمكن التصدي للتمييز العنصري الناتج عن التغيير المناخي؟
3. لماذا تُعد منطقة الشرق الأوسط وشمال إفريقيا من بين أكثر الأماكن على الأرض عرضة لمخلفات التغيير المناخي؟
4. الجيل الجديد يأخذ مخاطر الاحتباس الحراري على محمل الجد، هل هذا سبب كاف للتفاؤل بغد أفضل؟

الترجمة

ترجموا ما يلي إلى اللغة الإنجليزية:

ولذلك يُعدّ تغيّر المناخ أحد الأسباب المحورية لنشوب الصراعات في جميع أنحاء العالم، فهو يؤدي إلى نقص الغذاء، ويهدد سبل عيش الناس، ويدفع بمجتمعات كاملة للنزوح عن مواطنها. وعندما لا تكون المؤسسات والحكومات قادرة على إدارة الضغوط أو امتصاص الصدمات الناتجة عن تغير المناخ، تزداد المخاطر بفقدان الاستقرار.

الكتابة

اختاروا موضوعاً واحداً من المواضيع التالية و اكتبوا حوالي 150-200 كلمة:

1. ما هو الفرق بين تغير المناخ والاحتباس الحراري؟ وما هي الآثار السلبية لكليهما على الطبيعة والإنسان؟
2. الحفاظ على البيئة هو رفاهية بالنسبة للكثير من الدول. فهل باستطاعة الأرض التعافي لوحدها بدون تدخل بشري للحفاظ على البيئة وتقليل التلوث؟
3. هل المناخ والفقر وجهان لعملة واحدة؟ هل الفشل في إحداهما يعني الإخفاق في الأخرى؟

الاستماع والحوار

اذهبوا الى الرابط التالي و ناقشوا المواضيع التي تطرق إليها الفيديو:

https://www.youtube.com/watch?v=iT8nW1kqqWA

أزمة المناخ في المستقبل القريب UNIT 2:

كيف سيبدو العالم في 2050 إذا لم نتعامل مع أزمة تغير المناخ؟

المصدر: الشرق الأوسط- جريدة العرب الدولية. نشر بتاريخ 22 ابريل 2020

قبل ظهور فيروس «كورونا» في كوكبنا، كانت الحكومات حول العالم تواجه أزمتين رئيسيتين: انهيار أسعار النفط وأزمة المناخ. حتى وإن أصبحت هناك ثلاث أزمات الآن، فما زال يمكننا المضي قدماً وإعادة بناء عالم نظيف وصحي مع تريليونات الدولارات من الحوافز، والانتقال إلى الصناعات النظيفة التي تخلق الملايين من الوظائف، والتغلب على عدم المساواة الاجتماعية العميقة، وخلق اقتصاد مزدهر.

في كتاب «المستقبل الذي نختاره»، أوّجز توم ريفيت كارناك وكريستيانا فيغيرز، تقديراتهما لمستقبلين محتملين؛ واحد يتمحور حول خفض انبعاثات الكربون إلى النصف في هذا العقد، والآخر الذي يتكلم عن الأرض إذا فشلنا في تخفيض نسبة الملوثات، وهو الاحتمال الذي يروي تفاصيله تقرير لمجلة «التايم».

وحسب الكاتبين، في عام 2050، إذا لم تُبذل جهود أخرى للسيطرة على الانبعاثات، فنحن نتجه نحو عالم سيكون أكثر دفئاً (أو حرارة بالأحرى)، وقد تتطور الأمور لزيادة بنحو 3 درجات في عام 2100.

وأول شيء سنتأثر به هو الهواء. ففي العديد من الأماكن حول العالم، سيكون الهواء حاراً وثقيلاً ومحملاً بالجسيمات الملوثة التي تدخل في الأعين وتسبب السعال الحاد. وقد ينجم عن ذلك عدم تمكنك ببساطة من الخروج من باب منزلك وتنفس الهواء النقي. وبدلاً من ذلك، قبل فتح الأبواب أو النوافذ في الصباح، فقد يصبح عليك أن تتحقق من هاتفك لمعرفة نوعية الهواء في اليوم المحدد. وعندما تتداخل العواصف وموجات الحر وتتجمع، فإن تلوث الهواء ومستويات الأوزون السطحية المكثفة يمكن أن يصبح من الخطر الخروج بدون قناع وجه مصمم خصيصاً، والذي قد لا يتمكن الكثيرون من شرائه بسبب ثمنه الباهظ.

إن عالمنا يزداد سخونة، وهو تطور لا رجعة فيه الآن وأصبح خارجاً عن سيطرتنا تماماً، وفقاً للتقرير. ولقد اجتزنا بالفعل نقاط تحول، مثل الانصهار العظيم لجليد بحر القطب الشمالي، والذي كان يعكس حرارة الشمس. ولقد امتصت المحيطات والغابات والنباتات والأشجار والتربة لسنوات عديدة نصف ثاني أكسيد الكربون الذي نتخلص منه. والآن لم يتبقَّ سوى عدد قليل من الغابات، معظمها إما منتهكة وإما معرضة لخطر حرائق الغابات.

وفي غضون 5 إلى 10 سنوات، ستصبح مساحات شاسعة من الكوكب غير ملائمة بشكل متزايد للبشر. لا نعرف مدى قابلية مناطق أستراليا وشمال أفريقيا وغرب الولايات المتحدة للسكن بحلول عام 2100، ولا أحد يعرف ما يخبئه المستقبل لأطفالنا وأحفادنا، كما يروي التقرير.

كما تسبب المزيد من الرطوبة في الهواء وارتفاع درجات حرارة سطح البحر في زيادة الأعاصير الشديدة والعواصف الاستوائية. وعانت المدن الساحلية في بنغلاديش والمكسيك والولايات المتحدة وأماكن أخرى من تدمير البنية التحتية الوحشية والفيضانات الشديدة، مما أسفر عن مقتل عدة آلاف وتشريد الملايين. وسيحدث هذا بوتيرة متزايدة الآن.

ونظراً لأن العديد من الكوارث تحدث في وقت واحد، فقد يستغرق الأمر أسابيع أو حتى أشهراً حتى تصل الإغاثة الغذائية والمياه الأساسية إلى المناطق التي تعصف بها الفيضانات الشديدة. ويتسبب ذلك في انتشار أمراض مثل الملاريا وحمى الضنك والكوليرا وأمراض الجهاز التنفسي وسوء التغذية.

ويؤدي ذوبان التربة الصقيعية إلى إطلاق الميكروبات القديمة التي لم يتعرض لها البشر اليوم مطلقاً، ونتيجة لذلك لا توجد مقاومة لها. وقد تتفشى الأمراض التي ينشرها البعوض والقراد، حيث تزدهر هذه الأنواع في المناخ المتغير، وتنتشر في أجزاء آمنة من الكوكب، مما يربكنا بشكل متزايد. والأسوأ من ذلك، أن أزمة الصحة العامة لمقاومة المضادات الحيوية قد اشتدت فقط مع تزايد كثافة السكان في المناطق الصالحة للسكن، واستمرار ارتفاع درجات الحرارة.

وبسبب ارتفاع منسوب المياه، يجب في عام 2050 نقل بعض السكن في جزء من العالم إلى أراض مرتفعة كل يوم.

ويجب على أولئك الذين يبقون على الساحل، أن يشهدوا زوال أسلوب حياة قائم على الصيد. فمع امتصاص المحيطات لثاني أكسيد الكربون، ستصبح المياه أكثر حمضية وستكون معادية للحياة البحرية لدرجة أن جميع البلدان باستثناء القليل منها ستحظر صيد الأسماك، حتى في المياه الدولية. ويصر الكثير من الناس على أنه ينبغي الاستمتاع بالأسماك القليلة المتبقية.

كما قد تستسلم مناطق شاسعة لجفاف شديد، يرافقه في بعض الأحيان التصحر.

ومدن مثل مراكش وفولغوغراد على وشك أن تصبح صحاري. وظلت هونغ كونغ وبرشلونة والعديد من الدول الأخرى تحاول تحلية مياه البحر لسنوات، وتسعى يائسة لمواكبة موجة الهجرة المستمرة من المناطق التي جفت تماماً.

وإذا كنت تعيش في باريس، فأنت ستتحمل درجات حرارة الصيف التي ترتفع بانتظام إلى 111 درجة فهرنهايت (43.8 درجة مئوية)

وقد تحاول ألا تفكر في ملياري شخص يعيشون في أكثر مناطق العالم سخونة، حيث قد ترتفع درجات الحرارة لمدة تصل إلى 45 يوماً في السنة إلى 140 درجة فهرنهايت (60 درجة مئوية) -وهي نقطة لا يستطيع فيها جسم الإنسان البقاء في الخارج لمدة تزيد على ست ساعات تقريباً لأنه يفقد القدرة على تبريد نفسه.

وحتى في بعض أجزاء الولايات المتحدة، هناك صراعات حامية حول المياه، ومعارك بين الأغنياء الذين هم على استعداد لدفع ثمن ما يريدون من المياه، وكل شخص آخر يطالب بالتساوي في الوصول إلى الموارد التي تمكّن من الحياة.

ويتأرجح إنتاج الغذاء بشكل كبير من شهر لآخر، ومن موسم لآخر، اعتماداً على المكان الذي تعيش فيه. وأن المزيد من الناس قد يتضورون جوعاً أكثر من أي وقت مضى. كما قد تتغير المناطق المناخية، أي قد يصبح بعض المناطق الجديدة متاحة للزراعة (ألاسكا، القطب الشمالي)، بينما قد تجف مناطق أخرى (المكسيك، كاليفورنيا).

المفردات

collapse	انهيار
moving forward	المضي قدماً
prosperous	مزدهر
centered	يتمحور
cough	السعال
exorbitant	باهظ / مفرط
fusion	الانصهار
humidity	الرطوبة

spreads	تتفشى / تنتشر
mosquitoes	البعوض
protecting	حامية
equity	التساوي
absorption	امتصاص
destroy	تدمير
changing	المتغير
safe	آمنة

صِلوا الكلمات التالية بمرادفتها:

ضائقة		أزمة
هبوب		فشل
عودة		تغلب
إخفاق		رجوع
فاز		عصف

المفردات

املأوا الفراغ بالكلمة المناسبة:

المضي	السعال	نوعية	تشتري	متزايد
الحوافز	ببساطة	شاسعة	انتشار	موسم

1. هل تعلم بأن .... يقوم بفتح القصيبات الهوائية!
2. .... الخريف هو موسم تساقط أوراق الأشجار، وانخفاض درجات الحرارة.
3. ما هي .... المواد المستعملة في بناء الأجهزة الطبية في مصحتكم؟
4. الفوارق الثقافية بيننا ....، لذا لا يمكننا الارتباط عاطفياً.
5. ما أجمل هذا القول: " عليكم .... في طريقكم نحو العلى فمهما أظلمت ستشرق".
6. ....، لا أرغب بالحديث معك! لا تعجبني أفكارك وفلسفتك الحياتية.
7. من الجمل المتداولة: "لا يمكن أن .... السعادة بالمال".

8. نشرت المجلة بحثاً مطولاً عن أهمية .... المادية والمعنوية وعلاقتها بالأداء الوظيفي.

9. كيف يساهم .... الأخبار الكاذبة في تفشي الأمراض، والتأثير على الإنسان نفسياً وجسدياً؟

10. هناك استياء .... في أوروبا بسبب التهديدات الأمريكية لفرض العقوبات على إيران.

أسئلة الفهم

ناقشوا الأسئلة التالية في مجموعات لا تزيد عن ثلاثة طلاب:

1. ما هي الأزمات الرئيسية التي تواجه العالم في الوقت الحالي؟

2. ما هي الأفكار التي يناقشها كتاب "المستقبل الذي نختاره"؟ وما هي مسؤوليات الناس للحفاظ على البيئة؟

3. كيف سيصبح العالم في عام 2050 إذا لم نستطع السيطرة على الانبعاثات المتوقعة على الأشخاص الضعفاء؟

4. ما هي العوائق التي تؤخر وصول الإغاثة الغذائية والمياه الأساسية الى المناطق المتضررة بالكوارث؟

5. ما هو تأثير أزمة المناخ على المحيطات والصيد البحري؟

أسئلة المناقشة

ناقشوا الأسئلة التالية في مجموعات لا تزيد عن ثلاثة طلاب:

1. بيّن كيف يلعب التغير المناخي دوراً كبيراً في انتشار الأوبئة وانتهاك حقوق الإنسان.

2. برأيك، هل تعتقد أن درجة الحرارة على الأرض قد ارتفعت خلال العِقد الماضي؟

3. أين تتجلى علامات تغير المناخ على كوكب الأرض؟

4. ناقشوا أهمية توفير حصص مدرسية هدفها توعية وتعليم الأطفال حول موضوع المناخ.

الترجمة

ترجموا ما يلي إلى اللغة الإنجليزية:

وفي غضون 5 إلى 10 سنوات، ستصبح مساحات شاسعة من الكوكب غير ملائمة بشكل متزايد للبشر. لا نعرف مدى قابلية مناطق أستراليا وشمال أفريقيا وغرب الولايات المتحدة للسكن بحلول عام 2100، ولا أحد يعرف ما يخبئه المستقبل لأطفالنا وأحفادنا، كما يروي التقرير.

الكتابة

اختاروا موضوعاً واحداً من المواضيع التالية و اكتبوا حوالي 150-200 كلمة:

1. هل سينتهي الجنس البشري بسبب تغير المناخ؟ أم أن الحروب والأوبئة وأسلحة الدمار الشامل ستكون السبب في دمار البشرية؟
2. ما هي اقتراحاتكم لمواجهة التغير المناخي؟ اعطوا حلولاً مفصلة لمواجهة هذه الكارثة التي تهدد البشرية؟
3. الكثيرون منا لا يكترثون باتباع "نظام ايكولوجي"، هل العلم غير كاف لزرع اليقين في أذهاننا؟ أم لأن عدم الفعل أسهل من الفعل؟

الاستماع والحوار

اذهبوا الى الرابط التالي و ناقشوا المواضيع التي تطرق إليها الفيديو:

https://www.youtube.com/watch?v=M5V6jKiJTHM&t=5s

UNIT 3: المناخ في زمن الحروب

سوريا. . . بلد الجثث والكيماوي على أبواب اتفاقية المناخ

بقلم: علي بهلول. نشر بتاريخ 12 نوفمبر 2017

"وهذه الصواريخ والبراميل التي تضرب ليل نهار نباتية وصديقة للبيئة مثلًا"، تقول جنى كردي الشابة السورية في مدينة اسطنبول، تعقيبًا على خبر انضمام سوريا إلى اتفاقية المناخ العالمية الموقعة في باريس عام 2015.

شكّل الخبر الذي أكدته وكالة "فرانس برس"، الأسبوع الماضي، صدمة مضحكة للكثير من السوريين، وسرعان ما ألفوا الدعابات حول الحدث، "افصلوا المناخ عن السياسة يا شباب"، يردّ مؤمن على زميلته في العمل متهكماً.

وكان اتفاق المناخ الذي رعته الأمم المتحدة يهدف إلى الحد من الاحتباس الحراري، وامتنعت عن الانضمام إليه كل من سوريا ونيكارغوا فقط، قبل أن تنضم إليهما الولايات المتحدة الأمريكية بعد وصول دونالد ترامب إلى الرئاسة.

وفي 7 تشرين الثاني 2017، أعلن وفد النظام إلى قمة المناخ المنعقدة في مدينة بون الألمانية أن سوريا ستشارك في الاتفاقية، لتكون الدولة 197 في الاتفاق بعد أن سبقتها نيكارغوا إلى الانضمام، تاركين بذلك ترامب وحيدًا خارج هذ الحلف العالمي.

إلا أن واشنطن لم تفوّت فرصة السخرية من طلب النظام السوري الانضمام لاتفاقية المناخ، فقالت الناطقة باسم وزارة الخارجية، هيذر ناورت، "إذا كانت حكومة الأسد تهتم كثيرًا بما هو موجود في الجو، فالأحرى بها أن تبدأ بعدم قصف شعبها بالغازات السامة".

وهذا ما أثار غضب العديد من الناشطين، الذين اعتبروا التصريح اعترافًا أمريكيًا باستخدام أسلحة كيماوية من قبل النظام السوري ضد المدنيين، وبدل أن تُحرك الإدارة الأمريكية موقفًا دوليًا ضد النظام، تكتفي بالسخرية.

أراضٍ من القرون الوسطى

يُعدل مؤمن نظّارته السميكة، ويحاول أن يتحدث بهدوء وبابتسامة لا تفارق وجهه، فيخبرنا عن الأوبئة المنتشرة بين المعتقلين في فرع 215 بدمشق، والذي سرّب منه الضابط "سيزر" صورًا هزّت العالم، ويتساءل ساخرًا إذا ما كان اتفاق المناخ العالمي سيضع نهاية للمعتقلات بوصفها "بؤر تلوث بيئي" هذه المرة.

"اعتُقلنا في العام 2013 أنا وأخي الصغير بسبب مشاركتنا بالمظاهرات، وكان نصيبنا أن نحتجز في فرع الأمن العسكري 215"، - يُشعل مؤمن سيجارته - "حين كاد يموت أحدنا في الزنزانة المليئة بالأشخاص الملتصقين تمامًا ببعضهم البعض، لم نكن نجرؤ أن نخبر السجّان بذلك، فالتعليمات واضحة، قبل أن يصل عدد القتلى إلى خمسة أو ستة أشخاص لن يتعذب السجانون بنقل الجثث فرادى، وسنُعاقب على إزعاجهم".

- يتلفت مؤمن حوله لكنه يصرّ على الابتسام بشكل مربك، إذ لا يتوافق هذا الوجه اللطيف مع التجربة التي يرويها - "كنا ننام مع جثث، الأحياء منا كانت جروحهم متقيحة فما بالك بالأموات، أحيانًا (أستغفر الله) كنا ننتظر موت المزيد منا لنتخلص من الجثث، وصلنا إلى هذا الحد".

عدة معتقلين نجوا من سجون مختلفة في دمشق أكدوا لنا ما قاله مؤمن، موضحين أنه بدءًا من نهاية العام 2014 ارتفعت نسبة القتلى في المعتقلات بسبب الأمراض والأوبئة والقذارة وحدها، دون أن يتعرض المعتقل لتعذيب مبرح جسديًا، وفق ما عاشوه من تجارب على أقل تقدير.

سامر. ن طالب جامعي (هندسة عمارة) وناشط في دمشق، شارك بمظاهرات ونظم بعضها مع أصدقائه، قال لعنب بلدي أن المعتقلات تحولت إلى أراضٍ من القرون الوسطى، حيث من السهل جدًا أن يفتك المرض بأعداد كبيرة من المساجين، بسبب كثافتهم في مساحات ضيقة للغاية.

الجثث في الشوارع

وبالرغم من رفض النظام السوري الاعتراف بهذه الجرائم التي وثقتها تقارير دولية، بوصفه للصور المسربة وشهادات الناجين بأنها مريفة، تبقى العديد من الدلائل واضحة للعين المجردة بحيث لا يمكن إنكارها.

ومن جملة هذه الدلائل الجثث التي انتشرت على أطراف الطرق المحاذية لمناطق ساخنة. جنى كردي عاشت تجربة "مرعبة" حين مرّ ميكروباص - كانت تستقله من العاصمة إلى إحدى بلدات الريف الدمشقي - من أمام جثة ملقاة أرضًا.

تحاول جنى أن تتذكر بدقة "كان هذا عام 2013، وكان أكثر ما يخيفني أن أتعرّض لمثل هذه المواقف، أن أرى جثثًا في الشوارع، فقد سمعت عدة مرات من زميلات لي في الجامعة، بينهن مواليات للنظام، أنهن رأين جثثًا في الطرقات، مهملة ويمنع الاقتراب

منها"، وتردف "بالمناسبة كانت الجثة على مسافة قريبة من حاجز لقوات النظام، ويمرّ الناس من أمامها دون أن يجرؤ أحد على الاقتراب منها".

مخلفات الحرب على بازار المناخ

ويأخذ المتابعون بالحسبان تصرفات أخرى للنظام السوري وفق ما رصدت عنب بلدي، إذ أشار العديد من السوريين إلى تخلي مؤسسات النظام "المدنية" عن مهامها في المناطق الثائرة، مما سبب مشاكل في الصرف الصحي والتخلص من القمامة، ولم يختلف الوضع كثيرًا عن المناطق الخاضعة لسيطرته في دمشق، وكان آخر هذه الأحداث في الشتاء الماضي حين غرقت شوارع العاصمة بالمياه بسبب أمطار عادية، وفق الصور المتناقلة لصفحات إخبارية محلية على "فيس بوك"، فضلًا عن استهداف ينابيع مياه مثل "الفيجة" بالصواريخ، في سبيل السيطرة على المنطقة.

ناشطون من محافظة حماة أفادوا عنب بلدي أيضًا عن مسؤولية النظام السوري عن حرق مساحات واسعة من الأراضي الزراعية، التي تُشكل مصدر دخل رئيسي للعائلات، أثناء انسحابه من مناطق سيطرته، مع كل تقدم لقوات المعارضة، وهو ما اعترفت به رئيسة التنوع الحيوي والمحميات الطبيعية في وزارة الإدارة المحلية والبيئة - ميادة سعد - التي صرحت رسميًا لوكالة "سبوتنيك الروسية" عن حرائق بالمئات في الغابات السورية، لكن هذه المرة مع تعديل طفيف باتهام "الإرهابيين".

العميد زاهر الساكت - مدير مركز توثيق الكيماوي - أوضح لعنب بلدي أن تأثير الكيماوي على الأرض والبيئة والكائنات الحية يمكن أن يزول خلال عام إلى ثلاثة أعوام، بعكس المواد المشعة التي يستمر أثرها لنحو 15 عامًا.

ويضيف الساكت أنه لم يتوقع أن تكتشف لجنة حظر الأسلحة الكيميائية آثاراً لاستخدام غازات مثل السارين، لاسيما وأنها تأخرت ثلاثة أشهر بعد الهجوم الذي نفذه النظام حتى بدأ تحقيقها، لذلك فإن محاولة إشراك النظام في اتفاقية المناخ ليس أكثر من محاولة لتلميع صورته.

ووثقت الشبكة السورية لحقوق الإنسان ما لا يقل عن 207 هجمة منذ آذار 2011 وحتى نهاية تموز 2017، تسببت بمقتل ما لا يقل عن 1420 شخصًا بين مدنيين وعسكريين، إضافةً إلى إصابة ما لا يقل عن 6672 آخرين.

إلا أن متابعين لقضايا المناخ والبيئة يعتقدون أن المجتمع الدولي يسعى إلى الاستفادة من مخلفات المعارك في سوريا، والتي توفر مبالغ طائلة في عمليات إعادة التكرير، وبالتالي الحد من التصنيع الملوث للبيئة، وأنهم مقابل هذه الصفقة مستعدون لإرضاء طرف أساسي مشارك في الحرب، فقط لمجرد سيطرته على هذه المخلفات.

المفردات

corpses	جثث
the system	النظام
agreement	الاتفاقية

قصف	bombing
السخرية / الاستهزاء	mockery
متقيحة / ملتهبة	festered
القذارة	filth
تقدير	estimate
المسربة	leaked
مزيفة	fake
إنكار	deny
المواقف	situations
يجرؤ	dare
القمامة	garbage
طفيف	slight
الصفقة	deal

صِلوا الكلمات التالية بمرادفتها:

تعقيب		رأس
قمة		شديد
ساخر		تعليق
مبرح		تغيير
تعديل		هازئ

المفردات

املأوا الفراغ بالكلمة المناسبة:

حظر	تلميع	معتقلات	حلف	الانضمام
مخلفات	الكيماوي	التعذيب	تعليمات	وفد

1. على كل الدول .... والتعاون للحد من أزمة التلوث البيئي.
2. تترك .... الحرب أثراً نفسياً أقسى من الأثر الجسدي.
3. لضمان السلامة يجب على جميع الركاب اتباع ....الأمن.

4. قام الجيش في ماينمار بفرض .... التجول على المواطنين.

5. حذرت اليوم مؤسستان ناشطتان في مجال حقوق الإنسان من استمرار ممارسة سياسة .... بحق المعتقلين.

6. هيئة الأسرى تطالب إدارة سجون الاحتلال بإيجاد البديل، بعد منع زيارات .... السجون الإسرائيلية.

7. جاء .... يوناني لزيارة كنيسة المهد في مدينة بيت لحم.

8. لا زلت أذكر الفتى الذي قام بـ .... الأحذية في محطة القطار.

9. أعلن .... الشمال الأطلسي "الناتو" أنه سيزيد من مهامه داخل العراق، نظراً لعدم الاستقرار الأمني ومساعدة بغداد في محاربة "داعش".

10. بعض مرضى السرطان قد يموتون بسبب مضاعفات العلاج ....

أسئلة الفهم

ناقشوا الأسئلة التالية في مجموعات لا تزيد عن ثلاثة طلاب:

1. ما هي الدول التي امتنعت عن الانضمام إلى اتفاقية المناخ العالمية؟

2. ما هو سبب غضب الشعب السوري عقب قرار سوريا للانضمام إلى اتفاقية المناخ؟

3. ما هي أوضاع المعتقلين في فرع الأمن العسكري 215؟

4. ماذا اكتشفت لجنة حظر الأسلحة الكيميائية بعد الهجومات التي شنها النظام السوري؟

5. لماذا يمتنع المجتمع الدولي عن التدخل للحد من الخلاف السوري؟

أسئلة المناقشة

ناقشوا الأسئلة التالية في مجموعات لا تزيد عن ثلاثة طلاب:

1. هل ارتفاع الحرارة والجفاف من الأسباب التي لعبت دوراً مهماً في النزاع السوري الحالي؟

2. ما هو رأيك الشخصي في انضمام سوريا لاتفاقية باريس للمناخ؟

3. هل تعتبر الحرب النووية قانونيةً رغم أضرارها الجسيمة على الإنسان والمناخ؟

4. هل التجارب النووية والتلوث الإشعاعي من المسببات في تغير المناخ؟

الترجمة

ترجموا ما يلي إلى اللغة الإنجليزية:

اعتُقلنا في العام 2013 أنا وأخي الصغير بسبب مشاركتنا بالمظاهرات، وكان نصيبنا أن نحتجز في فرع الأمن العسكري 215، - يُشعل مؤمن سيجارته – "حين كان يموت

أحدنا في الزنزانة المليئة بالأشخاص الملتصقين تماماً ببعضهم البعض، لم نكن نجرؤ أن نخبر السجّان بذلك، فالتعليمات واضحة، قبل أن يصل عدد القتلى إلى خمسة أو ستة أشخاص، لن يتعذب السجانون بنقل الجثث فرادى، وسنُعاقب على إزعاجهم".

الكتابة

اختاروا موضوعاً واحداً من المواضيع التالية و اكتبوا حوالي 150-200 كلمة:

1. تنبأ بعض الباحثين أن التغيرات المناخية قد تؤثر سلباً على السلم والأمان الاجتماعيين في منطقة الشرق الأوسط. كيف ذلك؟

2. شهدت سوريا حرائق متواصلة، فالبعض يتهم النظام السوري بينما البعض يرى أنها حصيلة عوامل طبيعية. ما هو موقفك؟

3. تلوث الهواء له صلة وطيدة بتغير المناخ، هل حل الأزمة الأولى كاف للحد من مشكلة المناخ؟

الاستماع والحوار

اذهبوا الى الرابط التالي و ناقشوا المواضيع التي تطرق إليها الفيديو:

https://www.youtube.com/watch?v=mLxU1WGQ5ao

5

AUTHORITARIANISM IN THE TIME OF THE CORONAVIRUS
الاستبداد في زمن فيروس كورونا

UNIT 1: الديمقراطية في زمن كورونا

هل تنتصر طبائع الاستبداد بفضل الوباء؟

بقلم: سام منسي. نشر بتاريخ 06 ابريل 2020

في زمن تفشي فيروس «كورونا المستجد»، تستمر السجالات المحمومة بشأن تفوق النظام الاستبدادي المغلق في مواجهته على النظام الديمقراطي الحريص في الوقت عينه على الإبقاء على الحد الأدنى من الحزم البوليسي وصيانة مكتسباته من الحقوق والحريات. ففي حملة ممنهجة، تضج وسائل الإعلام التقليدية والرقمية بصور لجنود الجيش الصيني يلقون التحية على أطباء وممرضين بعد إنهاء عملهم في ووهان، وعودتهم إلى مستشفياتهم في دلالة على الانتصار على الفيروس الفتاك، وفي المقابل تتزاحم صور صادمة لآلاف النعوش في ساحات إيطاليا وإسبانيا، بانتظار نقلها إلى المدافن. وطالت هذه الحملة الولايات المتحدة لتبشرنا بقرب أفول «الإمبراطورية» الأميركية وانهيارها اجتماعياً واقتصادياً.

محصلة هذه الدعاية المبرمجة، أن الصين الدولة الديكتاتورية ومنشأ «كوفيد-19» خرجت الناجح الأكبر في الاختبار، وأعلنت تعافيها منه وعودتها إلى الحياة الطبيعية (علماً بأن لا أحد يستطيع التثبت مما يجري هناك)، فيما دول الغرب الديمقراطية - وخارج كل التوقعات - هي الفاشل الأكبر «ويجتاحها» الفيروس على نحو كارثي، متسبباً في سقوط آلاف الضحايا يومياً، سقطت معهم أسطورة الديمقراطيات الغربية في فضيحة حضارية مدوية .

هذه الحملات غير جديدة، وهي تدخل دون شك في سياق التجاذب السياسي العالمي المعهود بين المعسكرين الشرقي والغربي، فاستغل الأول الأزمة الصحية السائدة لشن

DOI: 10.4324/9781003193234-6

حملة تضليل كبرى، كما وصفها الاتحاد الأوروبي، للتهويل من أثر «كوفيد-19» وخلق حالة من الذعر ونشر أجواء عدم الثقة داخل المجتمعات الغربية. وللتذكير، حتى في الغرب نفسه - لاسيما الولايات المتحدة - ظهرت منذ عقود أدبيات تتناول تراجع الولايات المتحدة، وتدلل على مكامنه مقابل صعود الصين وغيرها مثل دول البريكس، في نقاش دفع البعض إلى القول أن الأميركيين يجلدون أنفسهم .

لا ريب أن بعض الحملات التي طالت الأنموذج الغربي أو الليبرالي - وتحديداً الليبرالي الجديد - مبرَّرة ومفهومة، ذلك أن المنتقدين محقّون بالقول إن هذه الدول المتطورة الجبارة ذات الموازنات والقدرات والطاقات الاقتصادية والمالية والعلمية الهائلة، عجزت مؤسساتها وأجهزتها الصحية والحوكمة المتقدمة المتَّبَعَة فيها عن مواجهة الجائحة بالشكل الذي كان متوقعاً منها. وهذا أثبت - وفقاً لهم - أن توحش رأس المال، أسفر عن نمو قوى وطاقات ومؤسسات وشركات عالمية أغفلت إيلاء العناية الكافية للبحوث والعلوم، وعلى رأسها تلك المرتبطة بالقطاع الصحي، إضافة إلى تخصيصها أموالاًطائلة للإنفاق العسكري على حساب قضايا أخرى تهمّ مصير الإنسان، الفرد والجماعة. إلى هذا، وعند بداية انتشار الوباء في الصين، اعتقد الغرب أنه فيروس محصور جغرافياً (Epidemic) ولن يستشري ليصبح وباءً عالمياً (Pandemic)، وكان الهوس حول مصير الاقتصاد أكبر من الخوف على حياة البشر. وشاب تعاطي الديمقراطيات الغربية على المستويين الرسمي والشعبي نوعاً من اللامبالاة، فلم تتوقع الجهات المعنية حجم تداعياته، ولم تباشر إلا متأخرة فرض ما يسمى بالتباعد الاجتماعي، الأمر الذي فاقم انتشار الفيروس.

الموضوعية تقتضي عدم القفز فوق هذه الوقائع المفجعة، والاعتراف بفشل الديمقراطيات في المواجهة الأولية لهذا الوباء وباجتياحه لها في غفلةٍ عنها وتغافلٍ منها، ولعل في ذلك درساً ستتعلم منه دون شك.

لكنّ هذا الأمر شيء، والترويج لأن هذا الفشل مؤشر إلى فشل النموذج الحضاري الغربي في مساره الرأسمالي الديمقراطي الليبرالي وبشرى باقتراب نهايته شيء آخر، أقل ما يقال فيه إنه تبسيط ساذج للتاريخ برمّته ينمّ عن حقد مَرضي على ما يمثله الغرب عامةً، والولايات المتحدة بخاصة. ومن المنصف هنا اعتماد مقاربة عقلانية هادئة لهذا السجال الدائر حول الأنموذجين، وأيهما أفضل في تحقيق الهدف الأسمى للحكم، وهو الحفاظ على الروح البشرية وإنسانيتها.

إن مجمل الركائز التي تقوم عليها الأنظمة الليبرالية في العالم - والمغيبة في الأنظمة الشمولية المستبدة من تداول للسلطة عبر الانتخابات النزيهة والفصل بين السلطات واستقلالية القضاء، إلى الشفافية والمحاسبة، وحماية المجتمع المدني من تغول الدولة - كلها نتاج تراث ثقافي وفلسفي وأدبي وفني وعلمي وتقني جذّر لمجموعة من المبادئ الاجتماعية والأخلاقية أسّست لأنظمة تُعلي شأن كرامة الإنسان وتقدّس الحرية. وبخلاف المتّبع في دول مثل الصين وروسيا وغيرها، فإن أهمية الحكم في البلدان ذات الأنظمة الديمقراطية الليبرالية، تكمن في كونه حكم مؤسسات وليس حكم أفراد، فالقادة يأتون عبر التصويت على رأس المؤسسات لإدارتها والتقيد بأصول عملها وإجراءاتها وإدارة البلاد عبرها، ويخضعون على مدار الساعة للاستجواب والمساءلة. والاختلاف الثقافي هنا

واضح، بين ثقافة تجد أن تمديد فترة حكم الرئيس الروسي فلاديمير بوتين لسنة 2036، أمر طبيعي، وأن بقاء الرئيس الصيني في الحكم مدى الحياة مألوف، وأن تقييد حرية استعمال الإنترنت وسجن المعارضين بدون محاكمة وإخفاءهم واغتيالهم بالرصاص والسم لا ريب عليه، وثقافة لا تعد هذه الأمور مستهجنة فحسب، بل هي بالنسبة إليها تدخل في نطاق «غير المفكر فيه».

ولا يغيب عنّا هنا الدور المحوري الذي تلعبه مؤسسات المجتمع المدني ووسائل الإعلام في الأنظمة الليبرالية، ويكفي في هذا السياق النظر إلى دور مؤسسات على غرار «نيويورك تايمز» و« سي إن إن» و«إيه بي سي» وغيرها من الصروح الكبرى في مراقبة عمل السلطة الرسمية والحكومية، والتي دونها لكانت الأمور مختلفة كلياً. ولعلّ مرحلة إدارة الرئيس دونالد ترامب بخاصة، كفيلة لتبيان الدور الذي تلعبه وسائل الإعلام في السياسة الأميركية.

ومن المفيد أيضاً مراجعة سريعة لسجلّ جوائز نوبل منذ نشأتها للملاحظة أن أغلبية حائزيها في مختلف الحقول هم من الولايات المتحدة خاصةً، ومن الدول الغربية عامةً، أو أنهم على صلة بجامعات ومعاهد ومراكز بحوث وصروح ثقافية وعلمية غربية. كما نظرة سريعة على المؤسسات الرائدة في العالم اليوم من «مايكروسوفت» إلى «جوجل» إلى «ياهو» إلى «تويتر» بدون أن ندخل في تعداد الشركات الأميركية الموجودة في كل أنحاء العالم، تدفعنا إلى اعتبار أن استسهال القول إن الأنموذج الأميركي خاصةً والغربي عامةً قد سقط فيه الكثير من التسرع والخفة، وما يصح تسميتها نزعة العداء لأميركا والغرب بعامة.

وبعد ما جرّه على العالم تكتم الصين على الحقائق وإخراس الأطباء الذين حاولوا التنبيه من الفيروس، لن تنجح محاولاتها اليوم لعب دور المخلص من الجائحة بواسطة القوة الناعمة. فالاحتفال الرومانسي بعودة الاشتراكية الستالينية واندثار العولمة على وجه التحديد يخالف منطق التاريخ، فحتى الصين لم تعد اليوم دولة اشتراكية، بل نظام رأسمالي تديره الدولة وتقيد فيه الحريات، تماماً كما هو الحال مع روسيا التي أصبح نظامها أوتوقراطياً رأسمالياً يقوم على تعطيل المؤسسات وتجويف الديمقراطية.

ما يُنظر إليه اليوم من فشل الغرب في التصدي لجائحة «كورونا» لعله خسارة آنيّة لمعركة في حرب، وعلى الرغم من مروره بعصور انحطاط، يبقى الأنموذج الغربي متجذراً في التاريخ بدءاً من حضارة الإغريق والرومان مروراً بعصر النهضة ووصولاً إلى العولمة، وسيتفوق مرة أخرى في التجدد الحضاري والإنساني، ولن ينساق إلى خدع الاستبداد، وسيعزز قدراته العلمية والفكرية وفق كل المؤشرات لتجاوز هذه الجائحة، دون التفريط في ركائز نموذجه الديمقراطي.

المفردات

الاستبداد	tyranny
تفشي / انتشار	spread
الحزم / التشدد البوليسي	police brutality

صيانة	maintenance
حملة ممنهجة	systematic campaign
النعوش	coffins
أفول / اضمحلال	decay
أسطورة	legend
فضيحة	scandal
تضليل	misleading
التهويل	intimidation
الذعر	panic
التباعد الاجتماعي	social distancing
مألوف	familiar
تجويف	cavity
انحطاط / تدهور	degeneration

صِلوا الكلمات التالية بمرادفتها:

حفظ		حرص
حِمَايَة		إبقاء
تمسّك		صيانة
جُنُون		صعود
ارتقاء		هوس

المفردات

املأوا الفراغ بالكلمة المناسبة:

دعاية	تضليل	موازنات	الشفافية	المنطق
التثبت	أماكن	رسمي	تقييد	الجائحة

1. الكذب والإنكار هما وسيلتان لـ .... الأفراد عن معرفة الحقيقة أو الوصول إليها.

2. .... العالمية التي تهز العالم اليوم هي كورونا.
3. من المهم أن تتعامل بشكل .... مع أساتذتك في الجامعة.
4. إذا أردت تسويق منتج بنجاعة، فعليك البدء بـ........ إعلامية تلفزيونية ضخمة.
5. على كل شخص التحلي بـ .... ليكون إنساناً صالحاً وصادقاً في حياته.
6. التنمية الاقتصادية للمملكة العربية السعودية تشمل تمويلًالاستكشاف .... النفط.
7. قال الدكتور أحمد ممدوح أمين الفتوى بدار الإفتاء المصرية، ان الشرع نهى عن تناقل الأخبار دون .... من صحتها.
8. فاق مجموع .... العراق المالية منذ عام 2003، 918 مليار دولار.
9. من .... أن تعاملني كما أعاملك!
10. .... الشخص في أي علاقة هو نوع من أنواع سلب الحقوق الإنسانية.

أسئلة الفهم

ناقشوا الأسئلة التالية في مجموعات لا تزيد عن ثلاثة طلاب:

1. ما هو الفرق بين الصور المتداولة في الإعلام الصيني والإعلام الأوروبي؟
2. لماذا فشلت الدول المتقدمة في التصدي لجائحة كورونا؟
3. ما هي ركيزة الحكم في البلدان ذات الأنظمة الديمقراطية الليبرالية؟
4. أبرزوا مظاهر الاختلاف الثقافي بين النظام الديمقراطي والنظام الرأسمالي.
5. كيف سيتفوق الغرب الديمقراطي بعد فشله في التصدي للجائحة؟

أسئلة المناقشة

ناقشوا الأسئلة التالية في مجموعات لا تزيد عن ثلاثة طلاب:

1. ناقشوا مقولة الكاتب "سقطت معهم أسطورة الديمقراطيات الغربية في فضيحة حضارية مدوية."
2. ما هو تأثير فيروس كورونا المستجد على المجتمع الدولي؟
3. ما هي التدابير التي يلزم اتخادها من طرف الدول للحد من انتشار الفيروسات؟
4. هل تظن أن فرض بعض القوانين الصحية الزجرية على جميع المواطنين يدخل ضمن منطلق الديمقراطية؟

الترجمة

ترجموا ما يلي إلى اللغة الإنجليزية:

هذه الحملات غير جديدة، فهي تدخل دون شك في سياق التجاذب السياسي العالمي المعهود بين المعسكرين الشرقي والغربي، فاستغل الأول الأزمة الصحية السائدة لشن حملة تضليل كبرى - كما وصفها الاتحاد الأوروبي - للتهويل من أثر «كوفيد-19»،

وخلق حالة من الذعر ونشر أجواء عدم الثقة داخل المجتمعات الغربية. وللتذكير، حتى في الغرب نفسه لاسيما الولايات المتحدة، ظهرت منذ عقود أدبيات تتناول تراجع الولايات المتحدة تدلل على مكامنه مقابل صعود الصين وغيرها مثل دول البريكس، في نقاش دفع البعض إلى القول أن الأميركيين يجلدون أنفسهم.

الكتابة

اختاروا موضوعاً واحداً من المواضيع التالية و اكتبوا حوالي 150-200 كلمة:

1. في نظركم، هل تظنون أن فشل النظام الرأسمالي أصبح بارزاً في زمن كورونا؟ ما هي التحديات التي تواجه هذا النظام في الآونة الأخيرة؟
2. كيف تختلف طرق التعامل مع الفيروس ما بين المجتمعين الشرقي والغربي؟ لماذا هذا الاختلاف في نظركم؟
3. تعددت نظريات المؤامرة فيما يتعلق بمصدر فيروس كوفيد-19. ما هو رأيكم؟

الاستماع والحوار

اذهبوا الى الرابط التالي و ناقشوا المواضيع التي تطرق إليها الفيديو:

https://www.youtube.com/watch?v=IvmpojZFxcM

UNIT 2: كورونا سلاح المستبدين؟

كاتبة بنيويورك تايمز.. كورونا منح القادة المستبدين فرصة لكسب المزيد من السلطات

المصدر: الجزيرة ونيويورك تايمز. نشر بتاريخ 31 مارس 2020

تتسبب جائحة فيروس كورونا بتوقف العالم، ومع مطالبة المواطنين القلقين المسؤولين باتخاذ إجراءات يستخدم القادة في أنحاء العالم سلطاتهم التنفيذية لتشكيل سلطة دكتاتورية بمقاومة ضئيلة، ويصدرون مراسيم الطوارئ والتشريعات التي تجعل لهم اليد العليا خلال الوباء، فهل سيتخلون عنها؟

وتقول الكاتبة سيلام غيبريكيدان -المراسلة الاستقصائية لصحيفة نيويورك تايمز الأميركية في مكتبها بلندن- في مقالها بالصحيفة إن فيروس كورونا (كوفيد-19) قد منح المستبدين وغيرهم فرصةً للاستيلاء على المزيد من القوة في ظل انتشار هذا الوباء.

وتضيف أن الحكومات وجماعات حقوق الإنسان تتفق على أن هذه الأوقات الاستثنائية تتطلب اتخاذ إجراءات استثنائية، وأن الدول تحتاج إلى سلطات جديدة لإغلاق حدودها وتطبيق الحجر الصحي وتعقب المصابين.

وتنسب إلى محامين دستوريين قولهم "إن العديد من هذه الإجراءات محمية بموجب القواعد الدولية".

هلع وغطاء واستيلاء

لكن ناقدين يقولون إن بعض الحكومات تستخدم أزمة الصحة العامة غطاء للاستيلاء على سلطات جديدة لا علاقة لها بتفشي الفيروس، مع القليل من الضمانات في عدم إساءة استخدام سلطتها الجديدة.

وتشير الكاتبة إلى أن القوانين تترسخ بسرعة عبر مجموعة واسعة من الأنظمة السياسية في الدول الاستبدادية مثل الأردن، والديمقراطيات المتعثرة مثل المجر، والديمقراطيات التقليدية مثل بريطانيا، وإلى أن هناك عددا قليلا من الإجراءات لضمان إلغاء هذه السلطات الجديدة المكتسبة، بمجرد أن يمر التهديد.

وتقول إنه بينما تزيد القوانين الجديدة من رقابة الدولة، وتسمح للحكومات باحتجاز الأشخاص إلى أجل غير مسمى، ومع انتهاك حريات التجمع والتعبير، فإنه يمكن لهذه القوانين أيضا تشكيل الحياة المدنية والسياسة والاقتصاد لعقود مقبلة.

وتضيف الكاتبة أن جائحة كورونا أعادت تشكيل الأعراف الدولية، فقد تمت الإشادة بأنظمة المراقبة في كوريا الجنوبية وسنغافورة، التي ساعدت في تباطؤ انتشار العدوى على الرغم من أن هذه الأنظمة كانت ستواجه اللوم في الظروف العادية، كما أن الحكومات التي انتقدت الصين في البداية لأنها وضعت الملايين من مواطنيها قيد الحجر قامت بنفس الإجراءات التي اتبعتها بكين.

تتبع وقمع واستبداد

وتشير إلى أن رئيس الوزراء الإسرائيلي بنيامين نتنياهو أذن لوكالة الأمن الداخلي في بلاده بتتبع المواطنين باستخدام مجموعة سرية من بيانات الهاتف المحمول، التي تم تطويرها لمكافحة الإرهاب.

ومن خلال تتبع تحركات الناس يمكن للحكومة معاقبة أولئك الذين يتحدون أوامر العزل، وذلك بسجنهم لمدة تصل إلى ستة أشهر، كما أن نتنياهو أمر بإغلاق المحاكم، وهو ما سيسمح له بتأخير مثوله المقرر أما المحكمة بسبب اتهامات بالفساد.

ويضيف المقال أن قوانين الطوارئ الجديدة تحيي المخاوف القديمة من الأحكام العرفية في بعض مناطق العالم، فقد مرر الكونغرس الفلبيني تشريعا الأسبوع الماضي يمنح الرئيس رودريغو دوتيرتي سلطات طوارئ و5.4 مليارات دولار للتعامل مع الوباء، كما خفف المشرعون من مسودة قانون سابق كان من شأنه أن يسمح للرئيس بالاستيلاء على الأعمال التجارية الخاصة.

وتستخدم بعض الدول جائحة كورونا للقضاء على المعارضة، ففي الأردن وبعد أن أعطى "قانون الدفاع" الطارئ مساحة واسعة لمكتبه، قال رئيس الوزراء عمر الرزاز أن حكومته "ستتعامل بحزم" مع أي شخص ينشر "الشائعات والتلفيق والأخبار الكاذبة التي تثير الذعر".

المفردات

ضئيلة	slim
مراسيم / قرارات	decrees
الطوارئ	emergency
الاستيلاء	taking over
إجراءات استثنائية	extraordinary procedures
إنفاذ / تطبيق	enforcement
القواعد الدولية	international rules
المستبدين	tyrants
الحجر الصحي	quarantine
إساءة	offense
احتجاز الأشخاص	detention of persons
العزل	isolation
المعارضة	opposition
الشائعات	rumors
التلفيق / الافتراء	fabrication

صِلوا الكلمات التالية بمرادفتها:

مطالبة		تأمين
تشكيل		حضور
ضمان		طغيان
استبداد		تكوين
مثول		مناشدة

المفردات

املأوا الفراغ بالكلمة المناسبة:

الوباء	الحجر	ترسخ	تعقب	ضئيلة
تلفيق	العزل	إشادة	أزمة	الاستثنائية

1. يحتوي وقود الديزل على نسبة .... من الكبريت.
2. .... التهم، هو أحد أبرز الأساليب التي تتخدها الأجهزة القمعية.
3. .... واسعة بإيطاليا للعمل البطولي لشاب مغربي أنقذ أماً إيطالية وطفلها من الموت.
4. مصر .... حضارتها الفرعونية، من خلال موكب المومياوات الملكية.
5. بعد أن أكد عودة بلاده إلى اتفاقية المناخ، أعلن الرئيس الأميركي جو بايدن بأن الولايات المتحدة عليها أن "تقود الرد العالمي" على .... المناخ.
6. الهدف من فترة .... الصحي هو إيقاف نقل العدوى، ومنع تفشي مرض كورونا.
7. تعرف الإنفلوانزا الإسبانية بـ .... القاتل.
8. صحيفة تنجح في .... تحركات ترامب عبر ثغرة أمنية خطيرة.
9. أعلن وكيل وزارة التربية والتعليم، عن استمرار منح الإجازة .... للمعلمين والمعلمات من أصحاب الحالات المرضية المزمنة.
10. وزارة الصحة تنشر تعليمات .... المنزلي للمرضى المؤكد إصابتهم بفيروس كورونا.

أسئلة الفهم

ناقشوا الأسئلة التالية في مجموعات لا تزيد عن ثلاثة طلاب:

1. كيف منحت جائحة فيروس كورونا المستبدين فرصة الاستيلاء على المزيد من القوة؟
2. ماهي الطرق التي تستخدمها الدول بقصد مراقبة المواطنين وانتهاك حقوقهم؟
3. كيف وصفت الصحفية النظام السياسي ببريطانيا؟
4. ما هو دور منظمات حقوق الإنسان خلال هذه الجائحة؟
5. هل هذه الجائحة تسبب مشاكل لمنظمات حقوق الإنسان أثناء مزاولتهم لأنشطتهم اليومية؟

أسئلة المناقشة

ناقشوا الأسئلة التالية في مجموعات لا تزيد عن ثلاثة طلاب:

1. يناقش النص أن بعض الدول تستغل هذه الجائحة للقضاء على المعارضة. ناقشوا.
2. بعض المنظرين يجادلون أن عالم ما بعد كورونا سيصبح عالماً مغايراً وجديداً. ما رأيكم في هذا القول؟
3. في نظركم، هل يعتبر فرض الحجر الصحي على المواطنين انتهاكاً لحقوقهم المدنية؟
4. هل يحق للدول أن تطالب المواطنين بالمكوث في منازلهم دون تعويضهم عن خساراتهم المادية؟

الترجمة

ترجموا ما يلي إلى اللغة الإنجليزية:

تتسبب جائحة فيروس كورونا بتوقف العالم، ومع مطالبة المواطنين القلقين المسؤولين باتخاذ إجراءات يستخدم القادة في أنحاء العالم سلطاتهم التنفيذية لتشكيل سلطة دكتاتورية بمقاومة ضئيلة، ويصدرون مراسيم الطوارئ والتشريعات التي تجعل لهم اليد العليا خلال الوباء، فهل سيتخلون عنها؟

الكتابة

اختاروا موضوعاً واحداً من المواضيع التالية و اكتبوا حوالي 150-200 كلمة:

1. هل فيروس كورونا المستجد يعتبر تهديداً وجودياً للمنظمات الاستبدادية؟ أم أنه على العكس يمنح هذه الدول فرصة ثمينة لتعزيز سلطتها وإحكام قبضتها على المواطنين؟
2. تركز بعض الدول على تعزيز الإجراءات الوقائية وتؤكد على احترامها على نطاق عام. من يخالف هذه القوانين يعرض نفسه لعقوبات صارمة. هل تظن أن هذه السياسة هي الأنجح للقضاء على الفيروس؟ أم هل يجب تسليط الضوء أكثر على إيجاد لقاح فعال وجعله متوفراً على نطاق دولي؟
3. إن أعطيت لك الفرصة لترأس اللجنة المكلفة بالتصدي لفيروس كورونا، فما هي التدابير أو الإجراءات التي ستتخذها؟

الاستماع والحوار

اذهبوا الى الرابط التالي و ناقشوا المواضيع التي تطرق إليها الفيديو:

https://www.youtube.com/watch?v=5bBh6Mr6NxY

UNIT 3: كورونا وحقوق الإنسان

الديمقراطية المعلقة في عهد كورونا. . . هل تصبح حقوق الإنسان ضحية الجائحة؟

المصدر: الجزيرة + مواقع إلكترونية. نشر بتاريخ 30 مارس 2020

تعاني جميع سِمات الديمقراطية حول العالم من آثار جائحة كورونا، حيث تضعف الضوابط على الحكومات بسبب المواجهة مع عدوى الفيروس المستجد، ويغيب

المشرعون عن البرلمانات، وتتأجل الانتخابات، ولا تتعامل المحاكم إلا مع القضايا العاجلة، ويُمنع التجمع وتقيّد الحركة، في حين تتجول المركبات العسكرية في المدن، ويضطر الصحفيون للعمل من المنازل، ويتوقفون عن ملاحقة السياسيين.

ومع تزايد البلدان التي أعلنت حالة الطوارئ العامة، تتزايد المخاوف بشأن مدى انتهاك التدابير -إن لم تكن مناسبة ومحدودة الزمن- الحقوق المدنية الأساسية وسيادة القانون، مع بقاء ما يقرب من ثلث سكان العالم فيما يشبه الحجر الصحي أو الحظر والعزلة.

فرصة للتعسف

في مقاله بمجلة فورين بوليسي الأميركية، اعتبر فلوريان بيبر أستاذ التاريخ والسياسة في جامعة غراتس النمساوية أن الوباء وفّر للحكومات الديكتاتورية والديمقراطية -على حد سواء- فرصة للتعسف وإساءة استخدام القرار وتقليص الحريات المدنية.

ويرى بيبر -وهو مؤلف كتاب "مناقشة القومية - الانتشار العالمي للأمم"- أن الإجراءات الحالية قد تنجح في التخفيف من انتشار الفيروس وتفشي الجائحة، لكن العالم سيواجه خطرا من نوع آخر؛ إذ ستكون العديد من البلدان أقل ديمقراطية بكثير مما كانت عليه قبل مارس/آذار من العام الجاري، حتى بعدما يتراجع خطر الفيروس.

ويتابع أن الضوابط والتوازنات -غالباً- يتم تجاهلها من قبل السلطات التنفيذية في أوقات الأزمات، لكن الخطورة تكمن في أن تتحول هذه الإجراءات الاستثنائية المؤقتة إلى دائمة.

واستشهد المؤلف والأكاديمي النمساوي بخطاب الرئيس الفرنسي إيمانويل ماكرون مؤخراً، وقوله "نحن في حالة حرب"، معتبراً أن مثل هذا الخطاب الدرامي يسهم في حشد قوي لمواجهة الوباء، لكن قد تكون مثل هذه النداءات خطيرة؛ فالفيروس ليس جيشا عسكريا، ويمكن لاستحضار فكرة الحرب تبرير إجراءات قمعية، وتحويل أزمة صحية لأزمة أمنية.

ويقر بيبر بالحاجة إلى تدابير مثل إغلاق الشركات، وفرض التباعد الاجتماعي، وإبعاد الناس عن الشوارع، بما في ذلك حظر التجول والتجمعات، للسيطرة على الانتشار السريع للفيروس التاجي؛ ولكنه يحذر كذلك من خطر كبير يتمثل في احتمال أن تؤدي هذه الإجراءات إلى موجة جديدة من الاستبداد.

جدل أوروبي

فيما يشبه البيان الصادر نهاية فبراير/شباط الماضي، قال الفيلسوف الإيطالي جيورجيو أغامبين أن إجراءات الطوارئ التي اتخذتها الحكومات في سياق مكافحة تفشي جائحة كورونا غير عقلانية وغير مبررة، مستنداً إلى بيان المجلس القومي الإيطالي للبحوث، الذي اعتبر أن أعراض الجائحة تكون خفيفة أو معتدلة لأغلب الحالات.

وتساءل أغامبين متعجبا: "لماذا تخلق السلطات الحكومية ووسائل الإعلام مناخا من الذعر، يتسبب في حالة استثناء حقيقية، تتضمن تقييد الحركة وتعليق الحياة اليومية والعمل في مناطق بأكملها؟" معتبرا أن تلك الحالة تؤدي إلى فرض "عسكرة حقيقية"

على تلك المناطق، في صيغة وصفها الفيلسوف الإيطالي "بالغامضة وغير المحددة"، متنبئا بتعميم حالة الاستثناء على كافة المناطق.

واستعرض أغامبين "القيود الحكومية على الحرية"، التي أقرتها السلطات (الإيطالية)، معتبراً أنها غير متناسبة مع التهديد الذي تسببه "عدوى تشبه الإنفلونزا"، ولا تختلف عن الفيروسات المعدية التي تصيبنا كل عام.

وختم الفيلسوف الإيطالي بيانه بالقول "إن السلطات استنفدت مبرر الإرهاب لاتخاذ تدابير استثنائية، ولهذا فإن اختراع وباء يمنحها الذريعة المثالية لتعميم إجراءاتها التي تتجاوز كل الحدود"، مشيراً إلى حالة الخوف والفزع الجماعي، وما اعتبره "قبولا بتقييد الحكومات للحرية تحت دعاوى السلامة".

ويشتهر الفيلسوف الإيطالي والمنظّر القانوني بكتابه "حالة الاستثناء - الإنسان الحرام"، الذي يَعتبر أن السلطات تستخدم الظروف الاستثنائية لتبرير تعطيل القانون، وحيازة السلطة المطلقة، مشيراً إلى تحولها لحالة دائمة، حتى في النظم الدستورية الديمقراطية.

وأثار مقال أغامبي جدلًاهائلاً بين فلاسفة أوروبيين، ورد الفيلسوف السلوفيني الشهير سلافوي جيجيك قائلًا"إن رد فعل الفيلسوف الإيطالي هو نسخة متشددة من الموقف اليساري الشائع للنظر إلى الذعر والهلع كممارسة سلطوية للضبط والمراقبة والعنصرية".

وتساءل جيجيك مستنكرا: هل من مصلحة السلطات وأصحاب رؤوس الأموال إثارة أزمة اقتصادية عالمية لدعم سلطتهم؟ وأجاب عن تساؤله بالقول إن الدول مذعورة ومدركة تماماً لعجزها عن السيطرة على الوضع، كما أن هذا الذعر يزعزع ثقة المواطنين في الدولة.

وتابع جيجيك في مقاله "إن الحجر الصحي والإجراءات الحكومية بالفعل تحدّ من حريتنا، لكن التهديد بتفشي الجائحة، أدى أيضاً إلى أشكال من التضامن المحلي والدولي، بالإضافة إلى أنه عزز الشعور بالحاجة لمراقبة السلطة نفسها، وإثبات أن ما حققته الصين يمكن تحقيقه بطرق أكثر ديمقراطية وشفافية".

وقال جيجيك "إن إجراءات مواجهة الجائحة لا يجب أن تختزل في النموذج المعتاد للتحكم والمراقبة، الذي تبناه الفيلسوف الفرنسي ميشيل فوكو"، معتبراً أن اليمين البديل واليسار المزيف يرفضان قبول حقيقة الجائحة على حد سواء، ويقومان بالتنديد بإجراءات مواجهتها

استراتيجية الذعر

من جانبه، علق الفيلسوف والكاتب الإيطالي سيرجيو بنفينوتو قائلاً "إن الذعر الذي أصاب بلاده كان في الأساس خيارا سياسيا؛ لأنه في عصر تنتج فيه الديمقراطيات العظيمة "قيادات بشعة"، فإن المنظمات الدولية -مثل منظمة الصحة العالمية- تتخذ قرارات من شأنها تصحيح نزوات الفاشية الجديدة في ديمقراطيات اليوم".

ويلاحظ الفيلسوف الإيطالي أنه في جائحة الإنفلونزا الإسبانية 1918، تصرفت السلطة السياسية بطريقة معاكسة تماماً؛ فقد أخفت الوباء، لأنه في معظم الحالات كانت الدول المعنية في حالة حرب، وسُميت الإنفلونزا "الإسبانية" ببساطة لأنه في ذلك الوقت، وفقط في إسبانيا -التي لم تكن في حالة حرب- تحدثت وسائل الإعلام عن المرض، الذي يبدو أنه نشأ في الولايات المتحدة.

ولكن القوى السياسية اليوم -التي يؤكد أنها عابرة للحدود والاقتصاد وتتخطى الحدود الوطنية- تتبع إستراتيجية الذعر؛ لتشجيع الناس على عزل الفيروس. وبالفعل، فإن عزل المصابين لا يزال -بعد قرون- أفضل إستراتيجية لقمع الأوبئة المستعصية، إذ تم احتواء الجذام في أوروبا -كما يؤكد الفيلسوف الفرنسي ميشيل فوكو أيضًا- على وجه التحديد عن طريق عزل المصابين قدر الإمكان، وغالباً في جزر بعيدة.

غير أن الفيلسوف الإيطالي أغامبين عاد للرد بعد انتشار رد نظيره السلوفيني جيجيك، وقال أن المشكلة ليست في إبداء الرأي حول خطورة المرض، وإنما التساؤل عن "العواقب الأخلاقية والسياسية للجائحة"، معتبراً أن المجتمع - بعد موجة الذعر التي شلت البلاد - لم يعد يؤمن بشيء سوى الحياة المجردة.

وأضاف أغامبين - في مقال جديد بعنوان "توضيحات" - أن الإيطاليين أبدوا استعداداً للتضحية بكل شيء، بما في ذلك الحياة العادية وعلاقاتهم الاجتماعية والعمل والصداقات والمعتقدات الدينية والسياسية لتلافي خطر الإصابة بعدوى كورونا، وهذا الخطر المشترك لا يوحد الناس (كما أشار جيجيك)، وإنما يعميهم ويعزلهم عن بعضهم البعض؛ إذ ينظر للبشر حاليا على أنهم مصدر عدوى وخطر محتمل لا أكثر، ويجب تجنبهم بأي ثمن.

من جانبه، عقّب الفيلسوف والأكاديمي الإيطالي روكو رونشي بمقال "فضائل الفيروس"، معتبراً أن الإجراءات الطارئة التي تفرضها مقاومة الجائحة تعمل على إضفاء الطابع العالمي على "حالة الاستثناء" التي ورثها الحاضر من "اللاهوت السياسي" في القرن العشرين؛ مما يؤكد فرضية ميشيل فوكو بأن السلطة السيادية الحديثة هي" سياسة بيولوجية" -بتعبير فوكو- الذي نظر إليها كممارسات وصلاحيات لشبكة السلطة التي تدير الجسد الإنساني والسكان في مجال مشترك بين السلطة والبيولوجيا، وفي زمن الانتشار الشامل للرأسمالية.

ويقول الفيلسوف الإيطالي إن الفيروس يجعلنا نتذكر حالتنا البشرية - في حال نسينا أننا بشر - محدودون، محتملون، ناقصون. . . إلخ، مما يجبرنا على التأمل في الوجود والحياة والتوقف عن تجنب الحقائق.

المفردات

ضوابط	disciplines
مواجهة	confrontation/to face
عدوى	contagion
العزلة	isolation

ضوابط	disciplines
تعسف	arbitrariness
قبول	acceptance
منظمة	organization
معاكسة	adverse
الذعر	panic
شلت	paralyzed
تضحية	sacrifice
الخطر	danger
طارئة / مُلح	urgent
شبكة	web
ناقص	incomplete
التأمل	meditation

صِلوا الكلمات التالية بمرادفتها:

تضعف		طغيان
تتجول		تبيين
تعسف		ارتداد
تراجع		تهن
توضيح		تهوم

المفردات

املأوا الفراغ بالكلمة المناسبة:

الزمن	تجاهل	حشدا	غامضة	المستعصية
انتشار	توازن	قمعي	المعتاد	مشترك

1. الصراع الاسرائيلي الفلسطيني هو أحد القضايا ....
2. أنا لا أستطيع ركوب الدراجة الهوائية لأنها تحتاج إلى ....
3. النظام الدكتاتوري هو نظام ....

4. ما هي البروتوكولات الصحية للحد من .... فيروس كورونا؟

5. التحديات التي يواجهها لبنان وشعبه أضخم من ....، وبرنامج الإصلاح قد يأخذ وقتاً.

6. قال وزير الاستخبارات الإسرائيلي إيلي كوهين، إنّ محاربة الإرهاب هدف .... للسودان وإسرائيل.

7. اقتحم سائق تاكسي بسيارته .... من الناس في مركز مدينة لندن مما أدى إلى إصابة ثلاثة أشخاص بجروح طفيفة، وتم نقلهم إلى المستشفى.

8. اختفى أحد رجال الأمن الخاص بحراسة الرئيس الروسي في ظروف ....

9. ماذا كان للإنسان أن يفعل لو منحت له الفرصة في إعادة ....إلى الوراء؟!

10. جهود تشكيل حكومة لبنانية جديدة تنهار وسط .... معاناة الشعب.

أسئلة الفهم

ناقشوا الأسئلة التالية في مجموعات لا تزيد عن ثلاثة طلاب:

1. أين تتجلى سمات تدهور الديمقراطية حول العالم؟

2. حسب المقال، ما هي التغيرات التي سنشهدها بعد تجلي فيروس كورونا؟

3. أثار قول ماكرون "نحن في حالة حرب" الكثير من الجدل. لماذا؟

4. لماذا أبدى الإيطاليون استعدادهم للتضحية بأبسط حقوقهم في ظرفية كورونا؟

5. كيف وصف ميشيل فوكو السلطة السيادية الحديثة؟

أسئلة المناقشة

ناقشوا الأسئلة التالية في مجموعات لا تزيد عن ثلاثة طلاب:

1. ما هو الأخطر في رأيكم: فيروس كورونا الذي يهدد صحة ملايين الناس؟ أم مخلفات السياسات المتخذة في خضم هذا الوباء؟

2. هل وسائل الإعلام هي المسؤولة عن حالات الذعر المسجلة في صفوف المواطنين؟

3. اتهمت بعض الدول بسن قوانين لا تخدم الصالح العام بالخصوص بل هي ذريعة لتقييد المواطنين وتعزيز سلطة الهيئات العليا. هل تتفق مع هذا القول؟ ولماذا؟

4. هل كانت الميزانيات المخصصة من طرف الدول المتقدمة لحالات الطوارئ كافية لتجاوز هذه المحنة؟

الترجمة

ترجموا ما يلي إلى اللغة الإنجليزية:

تعاني جميع سمات الديمقراطية حول العالم من آثار جائحة كورونا، حيث تضعف الضوابط على الحكومات بسبب المواجهة مع عدوى الفيروس المستجد، ويغيب

المشرعون عن البرلمانات، وتتأجل الانتخابات، ولا تتعامل المحاكم إلا مع القضايا العاجلة، ويُمنع التجمع وتقيّد الحركة، في حين تتجول المركبات العسكرية في المدن، ويضطر الصحفيون للعمل من المنازل، ويتوقفون عن ملاحقة السياسيين.

الكتابة

اختاروا موضوعاً واحداً من المواضيع التالية و اكتبوا حوالي *150-200* كلمة:

1 . أبرز أوجه التشابه وأوجه الاختلاف فيما يخص تعامل الدول مع فيروس كورونا المستجد في العصر الحديث مقارنةً مع الإنفلونزا الإسبانية في سنة 1918.

2 . ما هو الدور الذي يلعبه العلماء في عملية القرار السياسي؟ وهل يجب على السلطات العامة اتباع رأي الخبراء بشكل منهجي ونمطي؟

3 . يقول الفيلسوف الإيطالي إن الفيروس يجعلنا نتذكر حالتنا البشرية، في حال نسينا أننا بشر، محدودون، محتملون، ناقصون. . . طور مضمون هذه المقولة.

الاستماع والحوار

اذهبوا الى الرابط التالي و ناقشوا المواضيع التي تطرق إليها الفيديو:

https://www.youtube.com/watch?v=xY9fXH_pDl0

6

RACISM
العنصرية

UNIT 1: العنصرية في تونس

تونس تقر قانونا يجّرم العنصرية، في سابقة هي الأولى بالعالم العربي

بقلم: صبرا المنصر. نشر بتاريخ 10 أكتوبر 2018

في لحظة تاريخية، صدق البرلمان التونسي الثلاثاء على قانون يجّرم العنصرية، لتكون بذلك تونس الدولة الأولى في العالم العربي التي تسن قانونا مماثلا. وقد لاقى هذا القرار ترحيباً من المجتمع المدني، الذي دعا للعمل على تغيير العقليات والأفكار السائدة في المجتمع بالتوازي مع ذلك.

تَبنى البرلمان التونسي الثلاثاء بأغلبية مشروع قانون يهدف للقضاء على جميع أشكال التمييز العنصري، حيث صوت لصالحه 125 صوتا، مقابل صوت واحد ضده، في حين امتنع خمسة نواب عن التصويت.

ويقصد بالتمييز العنصري وفق هذا القانون الذي يحمل رقم "11/2018" كل تفرقة أو استثناء أو تقييد أو تفضيل يقوم على أساس العرق أو اللون أو الأصل القومي أو النسب أو غيره من أشكال التمييز العنصري.

ووفق الأمين بن غازي "مدير مشروع مرصد مجلس" التابع لمنظمة "بوصلة" التي تراقب عمل مجلس النواب، فإن لجنة الحقوق والحريات والعلاقات الخارجية داخل المجلس كانت المسؤولة عن مناقشة هذه المبادرة القانونية منذ نيسان/أبريل 2018، وقد سبق هذا المشروع مقترح سابق قدم عام 2016 لكن تم التخلي عنه لاحقاً لصالح المقترح الجديد.

ومنذ الثورة طالبت عدة مؤسسات من المجتمع المدني، من أبرزها جمعية "منامتي" التي تترأسها الناشطة في مجال مناهضة العنصرية سعدية مصباح، بإقرار قانون يجّرم العنصرية في تونس. وقال زياد روين المنسق العام لجمعية "منامتي" المناهضة للعنصرية لفرانس24 "إن المصادقة على هذا القانون

DOI: 10.4324/9781003193234-7

"إنجاز تاريخي"، لأنه تطرق لجميع أنواع التمييز، وفيه اعتراف بوجود العنصرية في تونس".

من جانبه قال النائب المستقل في البرلمان التونسي رؤوف الماي "إنه ثمرة عمل المجتمع المدني".

وأشار الماي "أن تونس كانت أول بلد مسلم يلغي العبودية في العام 1846 خلال حكم البايات، وكانت أيضا من بين الأوائل الذين وقعوا اتفاقية الأمم المتحدة عام 1965 ضد التمييز العنصري، وقانون اليوم تكملة لهذه الإنجازات. . . لقد استغرق الأمر وقتا طويلا ولكنه اليوم موجود، ويمكن أن نفخر بكوننا الأوائل في العالم العربي الذين حققنا ذلك".

ويحدد القانون الجديد عقوبات للإدلاء بكلام عنصري، تتراوح بين شهر وسنة من السجن وغرامة مالية تصل إلى ألف دينار) نحو 300 يورو)

كما يعاقب بالسجن من عام إلى ثلاثة أعوام، وبغرامة مالية من ألف إلى ثلاثة آلاف دينار (ألف يورو) كل من يحرض على العنف والكراهية والتفرقة والتمييز العنصري، وكل من ينشر أفكارا قائمة على التمييز العنصري أو كذلك "تكوين مجموعة أو تنظيم يؤيد بصفة واضحة ومتكررة التمييز العنصري أو الانتماء إليه أو المشاركة فيه."

ويمكن أن تبلغ الغرامة المالية 15 ألف دينار (حوالي خمسة آلاف يورو) بالنسبة للشخص المعنوي.

تحدي تغيير العقليات

ولفت روين المنسق العام لجمعية "منامتي" لأن هذا القانون ليس كافيا، حيث يقول إنه "لا يمكن أن نطالب مجتمعا بتغيير سلوكه وعقليته، ما دامت الدولة في حد ذاتها لم تلتزم بذلك" مطالبا الدولة بزيادة تمثيل أصحاب البشرة السوداء في المؤسسات. وفي هذا الإطار، سيتم تكليف "لجنة وطنية لمناهضة التمييز العنصري" تكون مسؤوليتها جمع ومراقبة جميع البيانات المتعلقة بالقضاء على جميع أشكال التمييز العنصري، وسيتم تحديد وظائفها وإدارتها وتكوينها بموجب مرسوم حكومي.

من جانبه قال النائب في البرلمان التونسي رؤوف الماي "إن تغيير العقليات ليس أمرا هينا وإن وجدت القوانين".

وأشار إلى أنه على سبيل المثال لا يوجد غير نائبين سود فقط من بين 217 نائبا في البرلمان التونسي، كما لفت الماي أنه لم يتم إحصاء أعداد السود في تونس، واعتبر أن ذلك يدخل في استراتيجية التعتيم بشأنهم.

وقال الماي "نطالب بالأرقام، ومن خلالها سنطالب بتمثيلهم في المناصب والمؤسسات بطريقة عادلة ومنصفة".

وأشار الماي أن التعليم هو من أهم الوسائل التي تدفع لتغيير العقليات، وقال إنه على الحكومة أن تدرج هذا الهدف في البرامج التعليمية، وإن ذلك سيستغرق جيلا أو جيلين على الأقل.

العنصرية ضد الطلبة الأجانب

وفي تصريح لفرانس24 اعتبر ماك أرتور يوباشو - وهو رئيس جمعية الطلبة والمتربصين الأفارقة في تونس - أن هذا القانون خطوة إيجابية مشيرا إلى أن

"المعركة الكبرى الآن هي تطبيق هذا القانون"، مضيفاً "نريد أن يدخل هذا القانون حيز التنفيذ لتتغير العقليات، وأن يتم احترام الأشخاص المختلفين، وخاصة الطلاب".

وتشهد تونس في السنوات الأخيرة ممارسات عنصرية، وصل بعضها إلى حد العنف اللفظي والجسدي، طالت الطلبة الوافدين من دول أفريقيا جنوب الصحراء.

وقال ماك "لقد سُجلت عدة اعتداءات بالعنف ضد الطلبة من أفريقيا جنوب الصحراء، من بينهم امرأة رواندية فقدت طفلها العام الماضي. . . ولعدم وجود قانون يحمينا لم نتمكن من تقديم شكوى".

وأوضح ماك أنه "بين عامي 2008 و2010، كنا 13 ألف طالب، لكن نحن اليوم نحو 6 آلاف فقط، الفارق شاسع جدا، فمن المؤكد أن قضايا العنصرية وراء هذا التراجع بالعدد في السنوات الأخيرة لأن ذلك يعطي صورة سلبية عن تونس".

وفي هذا الصدد أكد النائب رؤوف الماي لفرانس24 أن "أي شخص على الأراضي التونسية سيكون محميا بفضل هذا القانون. وأن على السلطات العمل على تطبيقه".

المفردات

تبنى / اعتمد	to adopt
التمييز	discrimination
تفضيل	favoring
تصويت	vote
الثورة	revolution
مناهضة / معارضة	resistance/opposition
عادلة	equitable
منصفة	fair
هين	easy
التعتيم	blackout
إحصاء	count/statistics
العقليات	mentalities
إيجابية	positive
الطلاب	students
الصحراء	desert
شاسع / ضخم	huge

صِلوا الكلمات التالية بمرادفتها:

وافق		صادق
حاور		دعا
ناشد		امتنع
انسحب		ناقش
كَفَّ		تراجع

المفردات

املأوا الفراغ بالكلمة المناسبة:

مماثل	أبرز	ثمرة	التمييز	احترام
أغلبية	قرار	العبودية	مناهضة	تطبيق

1. .... الناس يتفقون على أن النظام الديموقراطي هو أفضل الأنظمة.
2. تعاني بعض المجتمعات من .... العنصري.
3. من .... الموضوعات في الصحف البريطانية، موضوع التحولات الجيوسياسية بسبب فيروس كورونا.
4. بدأت .... في أمريكا، حين تم إحضار أول مجموعة من العبيد الإفريقيين إلى المستوطنة الأمريكية الشمالية "جيمستاون" في ولاية فيرجينيا.
5. طردت ألمانيا والسويد وبولندا دبلوماسيين من روسيا، رداً على إجراء .... اتخذته موسكو الأسبوع الماضي.
6. طالب الرئيس الأمريكي دونالد ترامب نائبه مايك بنس، بالتدخل لمنع .... نتائج الانتخابات الرئاسية.
7. شاركت هيئة حقوق الإنسان في ملتقى "........ العنف ضد المرأة " والذي نظمته إدارة وحدة الحماية الاجتماعية.
8. هنيئاً لمن قطف .... النجاح بعد بذل الجهد والكفاح.
9. لتسوية الصراعات بين الدول، على جميع الأطراف .... كل بنود الاتفاقية.
10. لقد شهد العالم تبدداً في .... القانون الدولي المتخصص في حماية المهاجرين.

أسئلة الفهم

ناقشوا الأسئلة التالية في مجموعات لا تزيد عن ثلاثة طلاب:

1. لماذا اعتبرت مصادقة البرلمان التونسي على قانون يجّرم العنصرية كسابقة تاريخية؟
2. من هي الجهة المسؤولة عن اقتراح هذه المبادرة القانونية؟

3. ما هي اللحظات التاريخية التي حققت فيها تونس مراكز مرموقة؟
4. حسب النص، ما هي الوسيلة الأنجح للتصدي للعنصرية؟
5. أين تتجلى مظاهر العنصرية ضد الطلبة الأجانب؟

أسئلة المناقشة

ناقشوا الأسئلة التالية في مجموعات لا تزيد عن ثلاثة طلاب:

1. هل القانون كاف لحماية ضحايا العنصرية، أم أن هناك أبعاداً أخرى يجب التطرق إليها لتجاوز هذه المعضلة الاجتماعية؟
2. أبرز مختلف أشكال العنصرية في العالم العربي.
3. في رأيك، من هي الدول الأكثر عنصرية في العالم العربي. ولماذا؟
4. يشاع أن الفتيات يركزن على لون البشرة أكثر من الذكور، وأن استهجان السمار يحصل ضد المرأة بينما يكون مفضلًا عند الرجل. ناقشوا هذه الفكرة.

الترجمة

ترجموا ما يلي إلى اللغة الإنجليزية:

ومنذ الثورة طالبت عدة مؤسسات من المجتمع المدني، من أبرزها جمعية "منامتي" التي تترأسها الناشطة في مجال مناهضة العنصرية سعدية مصباح، بإقرار قانون يجّرم العنصرية في تونس. وقال زياد روين المنسق العام لجمعية "منامتي" المناهضة للعنصرية ل فرانس24 "إن المصادقة على هذا القانون "إنجاز تاريخي"، لأنه تطرق لجميع أنواع التمييز، وفيه اعتراف بوجود العنصرية في تونس".

الكتابة

اختاروا موضوعاً واحداً من المواضيع التالية و اكتبوا حوالي 150-200 كلمة:

1. كيف تولدت لدى البعض قناعة تفوق جنس على آخر من الأجناس البشرية؟ لماذا يصعب عليهم الاعتراف بحقيقة أنه لا يوجد سوى جنس بشري واحد؟
2. هل العنصرية سمة فطرية مرسخة في جيناتنا؟ أم أنها نتاج تأثير العائلة والمجتمع على سلوك وتفكير الأجيال؟
3. أبرز أشكال العنصرية في العالم العربي، ووضح كيفية وضع حد للتمييز بين الأشخاص بناء على لونهم أو عرقهم أو جنسيتهم.

الاستماع والحوار

اذهبوا الى الرابط التالي و ناقشوا المواضيع التي تطرق إليها الفيديو:

https://www.youtube.com/watch?v=Z2ParGxu2qc

أحداث التمييز العنصري في الولايات المتحدة الأمريكية :UNIT 2

تراث العنصرية في الولايات المتحدة. . نضال ضد أفكار أميركا العميقة

بقلم: فاطمة غزالي. نشر بتاريخ 6 ديسمبر 2018

تعرضت العشرينية الأميركية يتني أليس لأول حادث تمييز عنصري على يد زميلتها البيضاء في مدرستها بمدينة فيلادلفيا، الواقعة في الساحل الشرقي للولايات المتحدة، عندما نعتتها بـ"العبدة" وهو ما لم تكن تتوقع حدوثه بهذا الشكل بعد النضال المستمر منذ ستينيات القرن الماضي ضد سياسات التمييز العنصري، والذي افتتنت بالقراءة عنه منذ صغرها، كما تقول لـ"العربي الجديد" مضيفة: "المجتمع بكامله لا بد أن يوجّه جهوده لوقف التمييز ضد السود"، وهو ما يؤمن به البروفيسور الأميركي من أصل أفريقي - موليفي كيتي أسانتي - أستاذ الدراسات الأفريقية الأميركية بجامعة تمبل في مدينة فيلادلفيا، والذي قال لـ"العربي الجديد": "تراث الرقّ في أميركا باقٍ، بعض البيض لديهم نزعة الشعور بالاستعلاء، وأنهم أفضل من الأسود، ونتيجة لذلك، يتعرض السود للعنف والتمييز على أساس اللون".

ويرجع تاريخ نظام العبودية في أميركا إلى القرن السادس عشر، قبل أن يتم حظره في عام 1808 من قبل الكونغرس، وإلغائه فعليا في فبراير/شباط 1865 بتوقيع الرئيس الأميركي أبراهام لينكولن على "التعديل الثالث عشر في الدستور الأميركي" والذي حرر الجميع من العبودية بحسب أسانتي، ورغم مرور 152 عاماً على إلغاء العبودية في أميركا، إلا أن التنميط العنصري ما زال يشكل قاسماً مشتركاً في مأساة الأمريكيين من أصل أفريقي، كما يقول.

وينص التعديل الثالث عشر من الدستور الأميركي على: "تحرّم العبودية والخدمة الإكراهية، فيما عدا كعقاب على جرم حكم على مقترفه بذلك حسب الأصول، في الولايات المتحدة وفي أي مكان خاضع لسلطاتها".

تراث العنصرية

يتجلى تراث العنصرية من خلال تعرض الأميركيين من أصل أفريقي للعنصرية في مختلف مناحي الحياة مثل المدرسة والجامعة، وعند التقدم للوظائف والترقية في العمل، وعند محاولة استئجار، أو شراء مسكن، وعند الذهاب إلى الطبيب، أو العيادة الصحية وعند محاولة التصويت، وفقاً لاستبيان "التمييز في أميركا" الذي أجرته مؤسسة الإذاعة الوطنية العامة خلال الفترة من 26 يناير/كانون الثاني حتى 19 إبريل/نيسان 2017، لكن أبرز مظاهر الاستهداف الممنهج، يتمثل في تعامل الشرطة معهم، إذ قتلت الشرطة الأميركية 1147 أميركياً، من بينهم 25% من الأمريكيين من أصل أفريقي، في عام 2017 وفقاً لمسح mapping police violence خريطة مراقبة العنف الشرطي، الذي أجرته حركة (The Protesters) "نحن المتظاهرون" المناهضة للعنصرية، والذي يجمع البيانات عبر مصادر FatalEncounters.org وقاعدة بيانات الشرطة للشرطة الأميركية و KilledbyPolice.net، إضافة إلى إجراء بحث شامل لتحسين جودة البيانات واكتمالها؛ في وسائل الإعلام الاجتماعية، وإعلانات النعي، وقواعد بيانات السجلات الجنائية، وتقارير الشرطة وفق ما جاء في قاعدة بيانات المسح ذاته.

ومنذ بداية عام 2018 وحتى أكتوبر/تشرين الأول الماضي يقدر موقع Statista الدولي المختص في البيانات، عدد القتلى من الأميركيين من أصل أفريقي على يد الشرطة بـ 158 شخصاً من إجمالي 1.056 أميركياً متعددي الأجناس قتلتهم الشرطة خلال الفترة من يناير/كانون الثاني حتى بداية ديسمبر/كانون الأول من عام 2018 بحسب بيانات خريطة مراقبة العنف الشرطي.

وتبلغ نسبة السكان الأميركيين من أصل أفريقي 12.6% من إجمالي عدد الأميركيين البالغ عددهم 327.16 مليون نسمة، وفقًا لبيانات مكتب الإحصاء السكاني الأميركي، ويرجع الأكاديمي أسانتي سبب استهداف الشرطة لهم إلى النظرة النمطية للسود، والسبب الثاني يتمثل في رفضهم للسلوك العنصري الممارس ضدهم، وهو ما تؤكده بينا بروكينز الناشطة في جمعية تمكين المجتمع (منظمة معنية بالتعليم والتوعية)، التي تعرضت للكثير من المضايقات العنصرية كما تقول، مضيفة لـ"العربي الجديد" أن "البوليس يستهدف السود بسبب الخوف والصورة النمطية التي رسمها الإعلام عن الأسود، باعتباره عنيفاً ودائماً يحمل السلاح، مما زاد من حوادث القتل بحق السود" .

وساهم الإعلام في تعميق الصورة النمطية السيئة عن السود وسط المهاجرين إلى أميركا، الأمر الذي أدى إلى تخوفهم من السكن في مناطق الأميركيين من أصل أفريقي، بحسب بروكينز، التي قالت إن صديقتها النيجيرية تلقت تحذيرا من السكن في أحياء السود، خشية تعرضها للاعتداء.

ويتفق المحامي موثي ويلبيك المحاضر في جامعة تمبل الأميركية مع بروكينز، مؤكدا لـ"العربي الجديد" أن البوليس غالبا ما يستخدم القوة ضد السود، بحجة أن عددا كبيرا من البوليس قتلوا في العمل، مشيرا إلى أن البوليس يتعرض للقتل من قبل البيض، لكن نشرات الأخبار لم تتناول قتل البيض للبوليس.

صعوبة الإثبات

بموجب قانون الحقوق المدنية الأميركي الصادر عن الكونغرس في عام 1991، يحق لأي مواطن أن يرفع دعوى في مواجهة أي مصلحة، أو وكالة حكومية إذا مورس ضده التمييز في العمل أو التعليم وغيره بحسب ويلبيك، مؤكدا أن القانون أدخل تغييرات كبيرة في القوانين الفيدرالية ضد التمييز في التوظيف، الذي فرضته لجنة تكافؤ فرص العمل في الولايات المتحدة (EEOC) (وكالة اتحادية تدير وتفرض قوانين الحقوق المدنية ضد التمييز في مكان العمل تأسست في 2 يوليو 1965).

ويجيز القانون التعويضات التعويضية والعقابية في حالات التمييز المتعمد، والحصول على أتعاب المحاماة وإمكانية إجراء محاكمات أمام هيئة محلفين. كما أنه يوجه لجنة تكافؤ فرص العمل، لتوسيع نطاق أنشطتها في مجال المساعدة التقنية والتوعية كما يقول ويلبيك، لكن قضايا الحقوق المدنية صعبة الإثبات، ومكلفة مالياً، لذا فإن الأغلبية من السود لا يذهبون للتقاضي، بسبب بعض الممارسات العنصرية وفق مصادر التحقيق.

لكن الأكاديمي أسانتي يرى إضافة إلى ما سبق أنه لا يوجد في أميركا قانون مكتوب فيه كلمة "عنصرية"، ولكن التمييز موجود عملياً، مضيفا أن العنصرية في أميركا لم

تحرم ولم تجرم بقانون كما هو في جنوب أفريقيا، "صحيح أنه لا توجد قوانين عنصرية في أميركا، لكن العنصرية تأتي في سياق الممارسة"، كما يقول.

مواجهة التمييز

نظم مجتمع الأميركيين من أصل أفريقي ذاته، للمطالبة بالحقوق المدنية ومحاربة العنصرية القائمة على أساس اللون، ووضع حد لكل الانتهاكات التي تحدث نتيجة للعنصرية بطريقة قانونية منذ القرن الماضي بحسب أسانتي، مشيراً إلى أن هناك العديد من المنظمات التي تقاتل لإنهاء العنصرية، وكيفية حماية الأفراد منها، ومنها الاتحاد الأميركي للحريات المدنية "ACLU" (وهو منظمة غير ربحية مهمتها الدفاع عن الحقوق والحريات الفردية المكفولة بموجب دستور وقوانين أميركا)، والحد من العنصرية والتمييز، وحركة "حياة السود مهمة"، التي نشأت في المجتمع الأميركي الأفريقي في عام 2013، (وهي حركة مهتمة بقضايا العنصرية على المستوى الدولي).

وأصبحت حركة Black Lives Matter شبكة عالمية ولها 40 فرعاً في العالم بحسب بروكينز، والتي قالت إن أعضاء الحركة يقومون بتنظيم وبناء السلطة المحلية للتدخل في أعمال العنف التي تتعرض لها مجتمعات السود من قبل الدولة والأمن، مضيفةً أن الحركة تنظم حملات ضد العنف والعنصرية النظامية تجاه السود، والتنميط العنصري، ووحشية الشرطة، وعدم المساواة العرقية في نظام العدالة الجنائية في الولايات المتحدة الأميركية عبر التظاهرات، لأن التغيير يحتاج إلى حركة نضال مستمرة.

ويقول أسانتي إن الأميركيين من أصل أفريقي هم أكثر من حارب العنصرية ورفضها، ما جعل البوليس يرد عليهم بعنف، داعياً إلى ضرورة المقاومة المدنية لإنهاء العنصرية والتمييز على أساس اللون، وأخذ العبرة من ثورات التحرر في البرازيل وكولومبيا، التي وصل فيها إلى الرئاسة مواطن من أصول إفريقية في نهاية القرن التاسع عشر هو خوسي نييتو خيل.

ونجح السود في كسب احترام البيض المناهضين للعنصرية، من خلال نضالهم المستمر من أجل الحقوق المدنية والتحرر، مما دعاهم إلى مشاركتهم في فعالياتهم، بحسب أسانتي.

ومن بين هؤلاء الخمسيني الأميركي روبرت جون الذي يعد واحدا من البيض المناهضين للعنصرية ضد السود كما يؤكد لـ"العربي الجديد" قائلا:" نأسف لاستمرار تلك الممارسات ضد الأميركيين من أصل أفريقي".

ويرى الأكاديمي أسانتي أن استمرار التظاهرات من أجل النضال ضد العنصرية، هو المخرج الأهم للتخلص من التمييز، مشدداً على ألا يكون الأميركيون من أصل أفريقي في وضع دفاعي دائماً، بل يتوجب عليهم أن يكونوا مبادرين في الدفاع والنضال ضد التمييز العنصري، وتحسين أوضاعهم من حيث التعليم والمعرفة بالحقوق والواجبات، ونيل فرص التوظيف.

وترى الناشطة بروكينز أن الأميركيين من أصل أفريقي يحتاجون إلى مخاطبة المجتمع والكشف عن قضايا أساسية، مثل وجود أعداد كبيرة من السود في السجون الأميركية، وإحداث تعديل في النظام العدلي لحماية السود، قائلة "جيد أن نرى السود ممثلين في السلطة، ولكننا نحتاج إلى تمثيل ينعكس بشكل حقيقي على تغيير الأوضاع"، مضيفةً أن التظاهرات، وحملات التضامن ضد التمييز والعنصرية من شأنها أن تتطور وتخلق ثورة مدنية حقيقية تُنهي استهداف السود الممنهج، وهو ما يتطلب دعم ووحدة

كل الأقليات، والمهاجرين في أميركا، إلى جانب البيض الذين يقفون مع حقوق الإنسان،
ويعملون مع الأميركيين من أصل أفريقي من أجل التغيير، لإنهاء الممارسات والفصل
العنصري الذي يظهر في المدارس والسكن ومختلف الأماكن، وهو ما تحلم بتحققه يتني
أليس، لتجاوز كابوس العنصرية الذي صار جزءا من حياتها كما تقول.

المفردات

الساحل	coast
النضال / المعركة	battle
المستمر	constant/ongoing
الرقّ	slavery
نزعة / ميل	tendency
حظر	ban/restriction
مشترك	common
مأساة	tragedy
دعوى	lawsuit
تكافؤ / مساواة	equality/parity
العبرة / المثل	lesson/example
نطاق / حيز	domain/range
مخاطبة	to address
تمثيل	to represent
كابوس	nightmare
صار	became

صِلوا الكلمات التالية بمرادفتها:

تمييز		فسخ
نزعة		تفرقة
إلغاء		انفلات
مضايقة		إزعاج
تحرر		جنوح

المفردات

املأوا الفراغ بالكلمة المناسبة:

وقف	أصول	التقارير	سلوك	استهداف
تعديل	مؤسسة	الإجمالي	البراءة	كابوس

1. ما دور .... حقوق الإنسان الوطنية في حماية الحقوق الاقتصادية والاجتماعية والثقافية؟

2. قال المحلل السياسي العراقي - ماهر عبد جودة - اليوم، بأنّ "الأجهزة الأمنية تعرف الجهات التي قامت بـ .... السفارة الأمريكية في بغداد".

3. .... الطبية عبارة عن بيانات يقوم الممارس الصحي بإعدادها وتقديمها للمريض، ويكون الغرض منها وصف الحالة الصحية.

4. المحاضرة تناولت موضوع مظاهر سوء .... الطلاب، وكيفية التعامل معهم بنجاح.

5. .... العنف ضد المرأة هي حملة عالمية أطلقتها منظمة العفو الدولية لمكافحة العنف ضدها.

6. شحّ "السلع المدعومة" .... يؤرق اللبنانيين.

7. تجاوز العدد .... للوفيات الناجمة عن الإصابة بفيروس كورونا، حول العالم، حاجز المليوني حالة.

8. إن المتهم بين خيارين لا ثالث لهما، إما .... أو الإدانة.

9. كثير من الطقوس والعادات لها .... قديمة وجذور تضرب في عمق التاريخ.

10. الرئيس الأمريكي يضع حدّاً لسياسية سلفه دونالد ترامب حول الهجرة، إذ يسعى إلى .... قوانين الهجرة.

أسئلة الفهم

ناقشوا الأسئلة التالية في مجموعات لا تزيد عن ثلاثة طلاب:

1. من هو الرئيس الأمريكي الذي حرر الجميع من العبودية؟

2. كم كانت نسبة الضحايا الأمريكيين من أصل أفريقي على يد الشرطة وفق الاستبيان "التمييز في أميركا" في 2017؟

3. ما هو دور الاعلام في تشجيع تفشي مظاهر العنصرية في أمريكا؟

4. ما هي الحقوق التي تطالب بها جمعية Black Lives Matter؟

5. هل الأمريكيون من أصل إفريقي هم الوحيدون الذين يناشدون بحقوقهم في المجتمع؟

المناقشة

ناقشوا الأسئلة التالية في مجموعات لا تزيد عن ثلاثة طلاب:

1. ما هي التحديات التي تواجه الأمريكيون من أصل إفريقي منذ نشأتهم؟
2. كيف غيّر مقتل "جورج فلويد" حياة الكثير من الأمريكيين من أصل إفريقي؟
3. يزعم البعض أن هناك علاقة وطيدة بين انتخاب ترامب وتصاعد العنصرية. هل تتفق مع هذا القول؟
4. هل يمكن مكافحة العنصرية عبر التوعية والتعليم؟

الترجمة

ترجموا ما يلي إلى اللغة الإنجليزية:

ويرى الأكاديمي أسانتي أن استمرار التظاهرات من أجل النضال ضد العنصرية، هو المخرج الأهم للتخلص من التمييز، مشدداً على ألا يكون الأميركيون من أصل إفريقي في وضع دفاعي دائماً، بل يجب عليهم أن يكونوا مبادرين في الدفاع والنضال ضد التمييز العنصري، وتحسين أوضاعهم من حيث التعليم والمعرفة بالحقوق والواجبات، ونيل فرص التوظيف.

الكتابة

اختاروا موضوعاً واحداً من المواضيع التالية و اكتبوا حوالي 150-200 كلمة:

1. تبرز بعض الأرقام أن استهداف الشرطة الأمريكية للأمريكيين من أصل إفريقي، ينتج عنه موجات عنف تكون قاتلة في بعض الأحيان. البعض يفسر هذا التعامل كعنصرية محضة، هل تتفق مع هذا القول؟
2. ملف التمييز في صفوف الأمريكيين قديم لكنه متجدد. ترى ما هو السبب الذي يجعل الولايات المتحدة الأمريكية ـ بلد الحريات ـ عاجزة عن تجاوز أزمة التمييز العنصري؟
3. للإعلام دورٌ مباشرٌ في تشكيل معرفة المتلقي، فهو سلاح ذو حدين. أبرزوا دور الإعلام في صناعة العنصرية العالمية.

الاستماع والحوار

اذهبوا الى الرابط التالي و ناقشوا المواضيع التي تطرق إليها الفيديو:

https://www.youtube.com/watch?v=DYhtSKZSBys

UNIT 3: هل المجتمع العربي مجتمع عنصري؟

وماذا عن عنصريتنا نحن؟

بقلم: توفيق رباحي. نشر بتاريخ 8 يونيو 2020

الاحتجاجات التي عاشتها الولايات المتحدة في الأسبوعين الماضيين هزّت العالم، ووضعته وجها لوجه مع نفسه، لكنها لم تحرك المجتمعات العربية إلا من زاويتين مُخجلتين: التشفّي والفُرجة.

في بريطانيا، التي تشهد عنصرية مشابهة لتلك المنتشرة في أمريكا، وإن بدرجة أقل فظاظة، تحرك المجتمع المدني وأعضاء في البرلمان بقوة للتظاهر وبحث الدروس التي يمكن استخلاصها من المأساة الأمريكية. الحكومة البريطانية وجدت نفسها فجأة تحت ضغوط سياسية واجتماعية لتحمُّل مسؤولية تفادي تكرار السيناريو الأمريكي. فالظروف الاجتماعية متشابهة في البلدين، ووقود أي حريق جديد ليس بالضرورة موت رجل أسود مختنقا تحت ركبة شرطي أبيض.

في فرنسا، التي تنخرها عنصرية «مُمَأْسَسة»، وقعت الاحتجاجات الأمريكية مثل «كفٍّ على الخد». الكثير من مكونات المجتمع المدني ووسائل الإعلام الفرنسية انتبهت إلى أن الشرطة الفرنسية ليست أفضل من الأمريكية في معاملتها للملوَّنين وذوي الأصول الأجنبية. فرنسا لديها عار أداما طاوري (شاب من أصل مالي توفي في صيف 2016 داخل عربة للدرك الفرنسي أثناء اعتقاله بفظاظة) وآخرون، وأمريكا لديها جورج فلويد وآخرون. المجتمع المدني الفرنسي بخير، بدليل أن وفاة طاوري تحرك إلى اليوم احتجاجات تطالب بالقصاص له. لكن سياسياً، تعيش فرنسا حالة إنكار عبَّر عنها الرئيس ماكرون بتواريه، على عكس زعماء الدول الكبرى، وراء صمت مشبوه يقول الكثير.

في فرنسا وبريطانيا وكندا وأستراليا ودول أخرى، خرج آلاف المتظاهرين يعبّرون عن تعاطفهم مع الأمريكيين، ويعلنون رفضهم لما يجري في أمريكا، وخوفهم من أن يتكرر عندهم، لأن المجتمعات الغربية غير محصّنة من احتمال تكرار السيناريو. الفرق أن المجتمع الأمريكي أكثر جرأة، في القتل وفي الاحتجاج على القتل.

أما في المجتمعات العربية المسكونة للعظم بأنواع من العنصرية، فلا ردود، إلا من فائض من فيديوهات الفُرجة وتعليقات التشفّي والتسلية. هذا «الشلل» دليل على غيبوبة عميقة أصابت العقل العربي.

المجتمعات الغربية تعاني من ثلاثة أنواع من العنصرية، عنصرية اللون وبدرجة أقل خطورة العنصرية الطبقية (الاقتصادية)، وحديثا العنصرية الدينية بسبب الجرائم الإرهابية المنسوبة لمسلمين.

أما المجتمعات العربية فتُبدع، من المحيط إلى الخليج، في أنواع العنصرية. وأخطر من انتشار العنصرية هو غياب الشعور بوجودها. عند العرب عنصرية اللون، إذ تنتشر

بينهم بلا أي رقيب عبارات السخرية من أصحاب البشرة الداكنة. وأنا واثق أن لكل مجتمع عربي قاموسه الخاص في هذا المجال.

ولدى المجتمعات العربية عنصرية عرقية، يُعبَّر عنها بتعالي الأغلبية من السكان على أبناء الأقليات، فيرد هؤلاء بعنصرية تنبع من اعتقاد أن كونهم أقلية يجعل منهم فئة أفضل، ناهيك عن شعور أنهم أبناء البلد الأصليين وغيرهم وافدين غير مرغوب فيهم.

وتعاني من عنصرية دينية، تعتبر غير المسلمين كفاراً وأقل شأناً في الدنيا وأسوأ مصيراً في الآخرة. وداخل الدين الواحد، الإسلام، تنتشر عنصرية بين الطائفتين الأكبر، وتمتد لتحتقر الطوائف الأصغر حجماً وتأثيراً.

وتعاني بعض المجتمعات العربية أيضاً من عنصرية إدارية، تتجلى في وجود المحرومين من جنسية البلد الذي يعيشون فيه. الـ «بدون» ماركة عربية بامتياز لا منافس لها. ولدى العرب عنصرية سوسيولوجية ابتدعها سكان المُدن، ويعبّرون عنها بسخريتهم من سكان الأرياف والبوادي، وتقليلهم من شأنهم. ولديهم عنصرية جنسية، متمثلة في الشعور بتفوق الذكر على الأنثى وتحكّمه في مصيرها منذ لحظة ولادتها. ويعاني المرضى وكبار السن وذوو الاحتياجات الخاصة والمختلون ذهنيا من نصيبهم الوافر من العنصرية، فكل مجتمع عربي لديه قاموسه الثري في وصف البدناء والضريرين والذين يعرجون في مشيهم وغيرهم.

بعض العنصرية العربية يمكن ملاحظتها في الحياة اليومية من دون الحاجة إلى جهد كبير. وبعضها الآخر غير ملموس ولكنه متجذر في لاوعي الناس، ويقفز إلى السطح في المواقف الصعبة والأزمات. هذا الثراء في العنصرية العربية ينهلّ من مصدر واحد: المناهج المدرسية والمساجد والخطاب الإعلامي. وتتكفل بالباقي التنشئة الاجتماعية للفرد والمجموعة وعجز المجتمعات، بمدارسها ومساجدها ومؤسساتها الرسمية وغير الرسمية، عن الاعتراف بوجود مشكلة.

هذه الآفات عائق رئيسي أمام تطور المجتمعات العربية، ويحرمها من سِلمٍ داخلي هي في أشد الحاجة إليه لتستقر وتستمر.

جورج فلويد موجود في كل مكان من هذا العالم. وموجود عند العرب، حتى لو لم يقتلوه مثلما قتل الأمريكيون «جورجهم». معاناته تختلف حسب الجغرافيا والسياق الاجتماعي. مرة «إني أختنق»، وأخرى «لم أجد وظيفة منذ تخرجي قبل عشر سنوات»، وفي مرة ثالثة «الشرطة لا تتوقف عن مضايقتي في الشوارع لمجرد أن بشرتي داكنة»، وأحياناً «المجتمع يسخر مني بلا توقف لأنه يراني مختلفاً».. إلخ.

العنصرية تخنق العالم، لكن العرب لا يشعرون بها، إلا عندما يكونون ضحاياها في ملاعب الآخرين. الإنكار الذي يعيشه العرب تجاه تفشي هذه الآفة في مجتمعاتهم، أخطر مما هو عليه الحال في الغرب. في هذا الغرب، رغم كل العيوب، تحافظ المجتمعات على نبض مقاومة. أما عند العرب فالصمت مطبق والصورة مثيرة للشفقة.

المفردات

هز	shake
شفقة	pity

الفُرجة	Watching
فظاظة	insolence
تكرار	repetition
وقود	fuel
تواري / اختفى	hide
مصير / قدر	fate
جنسية	nationality
جذر	root
انشاء	raising/building/establishing
فرد	individual
تستقر	stabilize
مضايقتي	bothering me
داكنة	dark
عيوب / ثغرات	flaws

صِلوا الكلمات التالية بمرادفتها:

مُخجِل		أصحاب
ذوي		مشرف
رقيب		معاكسة
ملموس		مادي
مضايقة		مشين

المفردات

املأوا الفراغ بالكلمة المناسبة:

الخجل	ضحايا	الغيبوبة	منافس	تستقر
إنكار	تعاطف	مصير	خطاب	أختنق

1. بيّنت الانتخابات الأمريكية لعام 2020 أنّ الرئيس ترامب أخفق في كسب .... الشعب.

2. يمكن تعريف .... بأنّها حالةٌ طبيةٌ يكون فيها المصاب فاقداً للوعي لفترة طويلة.
3. وجدت نفسي .... بسبب تراكمات مالية، لا أستطيع سدادها أو العيش معها.
4. كثير ما يصاب البعض بـ .... أو الخوف من الحديث أمام الجماهير.
5. خطة السلام في الشرق الأوسط تحيي مخاوف قديمة فيما يتعلق بـ .... الفلسطينيين.
6. قررت الولايات المتحدة إبقاء جيوشها في الشرق الأوسط إلى أن .... الأمور الأمنية هناك.
7. قامت السلطات الروسية باعتقال آلاف من أنصار .... بوتين.
8. قد يتجلى .... حقيقة فيروس كورونا بعدة طرق، سواء كان ذلك برفض ارتداء الكمامة أو حضور التجمعات الكبيرة.
9. بعد كل انتخابات أمريكية، يقوم الرئيس بإلقاء .... للشعب.
10. أُضيئت بالقرب من ميناء بيروت البحري بوسط العاصمة اللبنانية شجرة ميلادية تحمل أسماء .... الانفجار المدمر.

أسئلة الفهم

ناقشوا الأسئلة التالية في مجموعات لا تزيد عن ثلاثة طلاب:

1. كيف ردت المجتمعات العربية على الاحتجاجات ضد التمييز العرقي في الولايات المتحدة الأمريكية؟
2. استخرجوا أوجه التشابه بين الولايات المتحدة الأمريكية وبريطانيا؟
3. أبرزوا أنواع العنصرية التي تعاني منها المجتمعات العربية؟
4. ما هي مخلفات العنصرية والتمييز على المجتمعات العربية؟
5. ما هو الوضع الذي يجعل العرب يتفاعلون مع أزمة العنصرية والتمييز؟

أسئلة المناقشة

ناقشوا الأسئلة التالية في مجموعات لا تزيد عن ثلاثة طلاب:

1. هل واجهت حوادث عنصرية مماثلة كتلك المذكورة في المقالة، في مدينتك أو قريتك؟
2. هل تظن أن مقتل "جورج فلويد" حدث غير عادي أم أنه ظاهرة شائعة؟
3. ما هي الخلفية للعنصرية التي تلاحظها بكثرة في محيطك؟ دينية؟ لون البشرة؟ عدم تقبل المهاجرين الجدد؟
4. كيف تتحوّل العنصريّة والطائفية القبلية إلى ممارسات عنيفة؟ وكيف ينعكس ذلك على مجتمعنا؟

الترجمة

ترجموا ما يلي إلى اللغة الإنجليزية:

في فرنسا وبريطانيا وكندا وأستراليا ودول أخرى، خرج آلاف المتظاهرين يعبّرون عن تعاطفهم مع الأمريكيين، ويعلنون رفضهم لما يجري في أمريكا، وخوفهم من أن يتكرر عندهم، لأن المجتمعات الغربية غير محصّنة من احتمال تكرار السيناريو. الفرق أن المجتمع الأمريكي أكثر جرأة، في القتل وفي الاحتجاج على القتل.

الكتابة

اختاروا موضوعاً واحداً من المواضيع التالية و اكتبوا حوالي 150-200 كلمة:

1. العنصرية هي ظاهرة تؤثر على أفراد معنيين بشكل خاص والمجتمع بشكل عام، وقد تؤدي إلى حوادث عنف تسبب الضرر للناس والممتلكات. احك موقفاً كنت شاهداً أو ضحية له، مبرزاً ظرفية هذا الحدث.

2. ظهرت منذ فترة في الولايات المتحدة دراسات إحصائية تتحدث عن تفوق ذكاء العرق الأبيض على ذكاء العرق الأسود، مستعينين بذلك بعلم المورثات. هل سبق أن سمعت بهذا الخبر، وما هو رأيك في الموضوع؟ إلى أي مدى يمكن للعلم أن يؤثر سلباً على تماسك المجتمع؟

3. لقد كانت الأديان سبباً دائماً للاقتتال والكراهية والمواجهة، فكل ديانة تؤمن بأنها تمتلك الحقيقة المطلقة، وأن الأديان الأخرى من تبعة الشيطان مما يؤدي الى الكراهية والعنصرية. ناقش هذا النوع من التمييز مبرزاً مدى شيوعه عبر بقاع العالم.

الاستماع والحوار

اذهبوا الى الرابط التالي و ناقشوا المواضيع التي تطرق إليها الفيديو:

https://www.youtube.com/watch?v=ivnoZbklwEQ

7

HEALTH CARE
قطاع الصحة

UNIT 1: القطاع الصحي في المجتمع العربي

ما مدى تركيز الدول العربية على أولوية القطاع الصحي؟

بقلم: نور علوان. نشر بتاريخ 19 أكتوبر 2017

يشكل قطاع الرعاية الصحية أحد أهم الركائز في دول العالم المختلفة، والتي تعتمد عليه لإبراز نموها الاقتصادي، ومدى حرصها على تقديم خدمات ذات معايير عالية لمواطنيها أو للوافدين، كما تختلف طرق الاهتمام الذي تمنحه هذه الدول للقطاع، ويأتي هذا الدعم على صورة بناء مستشفيات أو مراكز طبية متخصصة، وتزويدها بالأجهزة والمعدات اللازمة، إضافةً إلى تشجيعها على تطوير وسائل العلاج ومهارات العاملين في هذه المؤسسات، لرفع مستوى الجودة في الخدمات.

حجم الإنفاق على القطاع الصحي

أشار تقرير مشترك بين منظمة الصحة العالمية ومجموعة البنك الدولي، إلى وجود أكثر من 400 مليون شخص في العالم لا يحصلون على الخدمات الصحية الأساسية، وأن 6% من سكان الدول المنخفضة والمتوسطة الدخل التي تعاني من الفقر المدقع، يعيشون على 1.25 دولار باليوم، بسبب اضطرارهم إلى دفع تكاليف ونفقات الرعاية الصحية، خاصة أن هذه الخدمات لا تقدم مجانًا بالوطن العربي، بل يكون المواطن بحاجة إلى تسديد فواتير الفحص والعمليات والجراحات والأدوية من ماله الخاص بنسبة 60 إلى 80%

كما يذكر التقرير أنه عندما ارتفع مقياس الفقر إلى دولارين في اليوم، ارتفعت نسبة الفقراء الذين يعانون من الفقر بسبب النفقات الصحية إلى 17%.

DOI: 10.4324/9781003193234-8

أيضًا أوضحت بيانات البنك الدولي لعام 2014 أن حجم الإنفاق على الرعاية الصحية يعد مرتفعًا نسبيًا، مع وجود تفاوت كبير بين الدول العربية النفطية والدول العربية الأخرى، إذ يصل نصيب الفرد في قطر نحو 2.106 دولار أمريكي، وفي الإمارات العربية المتحدة 1610 دولار أمريكي والكويت 1385 دولار أمريكي والبحرين 1242 دولار أمريكي والمملكة العربية السعودية 1147 دولار أمريكي وعمان 675 دولار أمريكي ولبنان 568.7 دولار أمريكي وليبيا 371 دولار أمريكي والجزائر 361 دولار أمريكي والأردن 358.9 دولار أمريكي وتونس 305.3 دولار أمريكي والعراق 292 دولار أمريكي وجيبوتي 190.8 دولار أمريكي والمغرب 190.1 دولار أمريكي ومصر 177.8 دولار أمريكي واليمن 79.9 دولار أمريكي وسوريا 66.5 دولار أمريكي وموريتانيا 48.8 دولار أمريكي.

أما دوليًا، فحلت سويسرا بالمرتبة الأولى في الإنفاق على المواطنين بقيمة مالية بلغت 9.673 دولار أمريكي للفرد الواحد، وتليها النرويج ومن ثم الولايات المتحدة الأمريكية وموناكو.

وفي هذا الصدد يقول خبير اقتصادي، باسم جميل أنطوان في تصريحاته لموقع العربي الجديد، إن التفاوت في حجم الإنفاق الصحي في الدول العربية، خاصة بين دول الخليج وباقي الدولة العربية، يعود بالدرجة الأولى إلى الإنفاق الحكومي على هذا القطاع، حيث تصل ميزانية وزارة الصحة في الدول الخليجية خاصة في قطر والسعودية إلى مليارات، والسبب في ذلك هو العائدات المالية التي تتمتع بها هذه الدول مقارنة مع دول أخرى مثل سوريا ولبنان واليمن، ويضيف أنطوان أن العراق يحتاج إلى رفع نصيب فرده من الإنفاق الصحي الذي لا يتعدى 400 دولار، وذلك لارتفاع الأمراض في المنطقة والتي تحتاج إلى طاقم طبي ذي خبرة مهنية عالية.

وفي حوار للخبير الأردني محمد الربضي، مع العربي الجديد يقول "الإنفاق على الرعاية الصحية يعد مؤشرًا إيجابيًا لسمعة الدولة في المجتمع الدولي، ولذا يتطلب من الدول العربية توجيه الاستثمارات إلى القطاع الصحي، والاستفادة منه لخدمة المواطن".

وفي حديث آخر نقله موقع عربي 21، للأمين العام المساعد في اتحاد الأطباء العرب ـ عماد الحوت ـ والذي يقول "كلما زادت الدولة من حجم الإنفاق على الرعاية الصحية، كان أفضل"، وأشار إلى أن استقرار السلطة يلعب دورًا كبيرًا، فالأنظمة غير المستقرة تنفق على السلاح مثلاً، أكثر مما تنفقه على الرعاية الصحية.

مستقبل القطاع الصحي

بالنسبة إلى التوقعات المستقبلية بشأن قطاع الصحة، توقعت منظمة التعاون الاقتصادي والتنمية مضاعفة حجم سوق العناية الصحية في دولها الأعضاء بحلول عام 2035، وبلوغه 4 أضعاف حتى عام 2060، إذ تهدف المنظمة إلى زيادة حجم الإنفاق على القطاع الصحي بنسبة 10% لعام 2030 من الناتج المحلي الإجمالي.

وهذا ما أشار إليه عبد العزيز المخلافي ـ الأمين العام لغرفة التجارة والصناعة العربية الألمانية ـ أهمية الدور الذي يلعبه القطاع الخاص في الوطن العربي في تحسن الخدمات الطبية وتطويرها.

وبحسب موقع الحياة، فقد نشرت شركة المزايا القابضة تقريرًا يوضح أن الحصة الأكبر من التركيز الاستثماري المتخصص خلال الفترة الماضية كان للقطاع السياحي وقطاع الرعاية الصحية، لتتجاوز مراحل تلبية الطلب المحلي إلى مرحلة تقديم خدمات طبية وسياحية عالمية، قادرة على جذب الطلب إقليميًا وعالميًا، وأضاف أن تحسن قدرات الأفراد والمؤسسات في الإنفاق على خدمات الرعاية الصحية في الظروف كافة، سيساعد على تطور القوانين والتشريعات المتعلقة بالرعاية الصحية وسياسات التأمين الصحي الإلزامي.

ولفت التقرير إلى تعاظم الاستثمارات المتجهة نحو قطاع الخدمات الطبية، ففي دولة الإمارات تشير المؤشرات الرئيسية إلى أن متوسط النمو السكاني تجاوز 7%، وبناء على هذا، فمن المتوقع أن تسجل الدولة أعلى نسبة نمو في الطلب على المستشفيات بحلول عام 2025.

كما يذكر التقرير أن الاهتمام بالقطاع الصحي ظهر واضحًا في دولتي السعودية وقطر بالتحديد، فشهدت مدينتي جدة والرياض مشروع بتكلفة 6.8 مليار دولار، أما قطر فأسست مجمع سدرة للطب والبحوث بكلفة 2.3 مليار دولار، إلى جانب دولة الإمارات التي تتجه في نفس الاتجاه في قطاع الرعاية الصحية، والتي تُجري مجموعة من المشاريع في مختلف إماراتها، مثل مستشفى العين بتكلفة 900 مليون دولار ومستشفى المفرق بتكلفة 600 مليون دولار.

وإجمالًا تشهد دول الخليج ارتفاعًا كبيرًا في عدد السكان، إذ بلغت النسبة نحو 20% ما بين عامي 2008 و2013، مما أدى إلى رفع الطلب على خدمات الرعاية الصحية.

كشف تقرير لـ "ألبن كابيتال للرعاية الصحية" أن القيمة المالية الإجمالية للمشاريع التي تقام في منطقة الشرق الأوسط وشمال إفريقيا تبلغ نحو 55.2 مليار دولار تقريبًا، إذ يجري حاليًا تنفيذ 37 مشروعًا ضخمًا لبناء المستشفيات في دول الخليج، والتي تبلغ قيمتها نحو 28.2 مليار دولار أمريكي، هذا بحسب موقع العربي الجديد.

اقتصاد المستشفيات

وفي الوقت الحالي، نلاحظ انتشار مستشفيات متنوعة ومتخصصة بأمراض معينة مثل العيون أو الأسنان، إضافة إلى المستشفيات السياحية التي تكون أشبه بالمنتجعات السياحية أو الفنادق الفاخرة، والتي غيرت من مفهوم القطاع الصحي العلاجي التقليدي إلى مركز للاسترخاء والعناية الكاملة بصحة ونفسية المريض، إذ يعتبر هذا النوع من المستشفيات عمودًا رئيسيًا في اقتصاديات الكثير من الدول، لتملكها حصة من الأسهم في سوق البورصة العالمية.

ومثال على الثقل الاقتصادي الذي تكتسبه الدول المتقدمة من قطاع الصحة، في عام 2016 عندما ارتفع مؤشر "إم إس سي آي" العالمي للبلدان الصناعية نحو 8%، ارتفعت معه طرديًا قيمة أسهم قطاع الرعاية الصحية بنسبة 17% مع زيادة في عدد المساهمين فيها.

وبهذا الخصوص، يقول الخبير في سوق المال في ألمانيا، غابريال هيبالا، لـصحيفة الشرق الأوسط "قطاع الصحة يعتبر اليوم واحدًا من أكثر وأسرع القطاعات نموًّا في المستقبل، لأسباب ليس أقلها التغيير الديموغرافي وتطور الاكتشافات الطبية بكل فروعها، وتطور النظم الصحية في الدول النامية، وزيادة أمراض العصر."

ويضيف "لا يتضمن قطاع الصحة تطوير العقاقير ووسائل العلاجات أو التكنولوجيا الحيوية فقط، بل أيضًا شركات الأجهزة الطبيعية والأدوية والشركات المصنعة لكل المعدات الطبية والأجهزة، ومنها الأطراف الاصطناعية التي تماشي التطور التقني الحالي".

الخلاصة أن القطاع الصحي عاملاً مهمًا في تطور الدولة، بسبب دوره في الاهتمام بصحة أفراد المجتمع، الذين بدورهم سيعملون على زيادة الإنتاج والتقدم من أجل تحسين الناتج المحلي الإجمالي، وبالتالي الزيادة من ارتفاع النمو الاقتصادي.

المفردات

ركائز / محاور	pillars
الفقر المدقع	abject poverty
مؤشر	indicator
توقعات	expectations
تشريعات	legislations
إلزامي	mandatory
قابضة	holding
تعاظم / تفاقم	exacerbate
استرخاء	relaxation
عمود	pole
أسهم	shares
جذب	attract or appeal to
إجمالية	totality/full amount
الدول النامية	developing nations/developing world
عقاقير	drugs
تماشي مع	keeping pace with

صِلوا الكلمات التالية بمرادفتها:

صعيد		قطاع
وهب		منح
نصيب		مستوى
أمان		استقرار
حقل		حصة

المفردات

املأوا الفراغ بالكلمة المناسبة:

الخدمات	طاقم	جذب	ثقل	معدات
النفط	رعاية	منتجعات	الفروع	إجمالي

1. يبدو أن .... أرباح الشركة هذه السنة أقل من السنة الماضية، بسبب انتشار جائحة كورونا.
2. .... الأهل تبقى مستمرة منذ الولادة حتى الاستقلال، وقد تختلف هذه المرحلة من مجتمع لآخر.
3. مكتب .... الاجتماعية يقدم مساعدات إنسانية واستشارة مهنية لسكان هذه المدينة.
4. زرنا في السنة الماضية .... سياحية عديدة في تركيا، لكني أفضل تلك المطلة على البحر.
5. في التسويق التقليدي يكون الهدف: .... العملاء من خلال استخدام جملة من الحملات الدعائية.
6. هل يمكنني الاطلاع على ضوابط وشروط استيراد .... طبية من الولايات المتحدة الامريكية؟
7. عادة، يتبع .... الطيران إجراءات أمن وسلامة طويلة ومعقدة، للحفاظ على سلامة الطائرة وكل من هو على متنها.
8. تم تعديل ساعات العمل الرسمية والخدمات المصرفية لبعض .... المختارة.
9. من أقوال الكاتب الكبير واسيني الأعرج: 'الوحيدون في هذه الدنيا يتحملون .... الحياة''.
10. ارتفعت أسعار .... الخام مجدداً بسبب انتشار لقاحات كورونا حول العالم، وانعكاسها على معنويات السوق.

أسئلة الفهم

ناقشوا الأسئلة التالية في مجموعات لا تزيد عن ثلاثة طلاب:

1. لماذا يعتبر قطاع الرعاية الصحية من الأسس التي تسهر دول العالم على تطويرها؟
2. كيف يعتبر حجم الإنفاق على الرعاية الصحية بين الدول العربية النفطية والدول العربية الأخرى؟
3. ما هي التوقعات التي تخص تطور قطاع الصحة في المستقبل القريب؟
4. تطور مفهوم القطاع الصحي من التقليدي الى المعاصر يواكب احتياجات وخدمات جديدة، كيف ذلك؟
5. ما هي المحفزات التي ساهمت إيجاباً في التطور السريع في قطاع الصحة؟

أسئلة المناقشة

ناقشوا الأسئلة التالية في مجموعات لا تزيد عن ثلاثة طلاب:

1. ما هي المتطلبات والشروط التي يجب توفيرها للفرد من أجل سلامة صحته النفسية؟
2. هل للتعليم والتوعية التربوية دور مهم في ترسيخ أسس وطرق الحفاظ على الصحة الجسدية والنفسية عند الأفراد؟
3. ما هي الموارد التي يجب على الدولة توفيرها من أجل رعاية صحية في المستوى المرغوب؟
4. هل التغذية المتوازنة تساوي صحة جيدة؟

الترجمة

ترجموا ما يلي إلى اللغة الإنجليزية:

يشكل قطاع الرعاية الصحية أحد أهم الركائز في دول العالم المختلفة، والتي تعتمد عليه لإبراز نموها الاقتصادي ومدى حرصها على تقديم خدمات ذات معايير عالية لمواطنيها أو للوافدين، كما تختلف طرق الاهتمام الذي تمنحه هذه الدول للقطاع، ويأتي هذا الدعم على صورة بناء مستشفيات أو مراكز طبية متخصصة.

الكتابة

اختاروا موضوعاً واحداً من المواضيع التالية و اكتبوا حوالي 150-200 كلمة:

1. تعتبر الرعاية الصحية رمزاً أساسياً لتحقيق العدالة الاجتماعيّة والمساواة في المجتمع العربي. حلّلوا.
2. الفقر من العوامل التي تؤثّر سلباً على الصحة الجسدية، والنفسية، والاجتماعية. برأيك، هل يجب أن تعطى الأولوية لمحاربة الفقر أو تطوير القطاع الصحي؟

3. توفير متطلبات الرعاية الصحية لا يقتصر على الجهاز الطبي فقط، بل يحتاج إلى تضافر جهود العديد من قطاعات المجتمع. أذكر بعضها مبيناً تأثيرها على صحة الفرد والمجتمع العربي.

الاستماع والحوار

اذهبوا الى الرابط التالي و ناقشوا المواضيع التي تطرق إليها الفيديو:

https://www.youtube.com/watch?v=_uH2m1JOxvU

UNIT 2: تنبؤات حول مستقبل قطاع الصحة في العالم العربي

كيف يبدو مستقبل الرعاية الصحية في العالم العربي؟

الحاجة إلى نظام صحي جديد.

المصدر: مرصد المستقبل. نشر بتاريخ 18 أبريل 2020

تتطور أنظمة الرعاية الصحية في مختلف أنحاء العالم متعرضة لضغوطات متعلقة بتوفير خدماتٍ عالية الجودة، تواكب آخر مستجدات الثورة الرقمية، في ظل معطيات جديدة؛ أبرزها الزيادة السكانية وارتفاع معدل الشيخوخة.

ووفقًا للأمم المتحدة، مُتوقَّع أن يصل عدد سكان العالم إلى نحو 10 مليار شخص بحلول العام 2050؛ 75% منهم يعيشون في المدن. في حين تساهم عوامل ارتفاع معدل الشيخوخة والتغيرات في السلوك المجتمعي بشدة، في الزيادة المطردة للحالات المزمنة؛ مثل أمراض القلب وأمراض الجهاز التنفسي، ما يؤدي إلى زيادة الطلب على خدمات رعاية صحية أكثر كفاءةً وتكاملًا.

ونتيجة لذلك، وبزيادة الضغط على مواردنا البشرية والمالية -المنهكة أصلًا- أصبح العالم بحاجة ماسة إلى نظام جديد، يحقق نتائج صحية أفضل، ويقلل تكاليف الرعاية الصحية، ويحسن وضع العاملين في القطاع الصحي والمرضى.

واقع الحال في العالم العربي

ويواجه سكان المنطقة البالغ عددهم أكثر من 411 مليون نسمة، زيادة حادة في الأمراض المزمنة؛ مثل السكري والسمنة وأمراض القلب والأوعية الدموية، جراء التغيرات في أنماط الحياة؛ من سوء التغذية ونقص التمارين الرياضية وقلة النوم الجيد والتوتر الزائد.

ووفقا لتقرير صدر حديثاً، عن وكالة كوليرز إنترناشيونال، يُتوقَّع أن ترتفع نسبة مرضى السكري في العالم العربي، لتصل إلى 110%، بعدد إجمالي يبلغ 82 مليون

مريض، خلال الأعوام الـ 26 المقبلة، مما يؤثر بشدة على معدلات الوفاة، والناتج المحلي الإجمالي وتكاليف الرعاية الصحية.

تنامي الاهتمام بالرعاية الصحية

وعلى الرغم من أن أنظمة الرعاية الصحية في العالم العربي، كانت متأخرة عن الممارسات الدولية ومعايير الجودة في الماضي، إلا أن استثمارات كبيرة في الأعوام الأخيرة، سُخِّرت لخدمة قطاع الرعاية الصحية المتنامي؛ وبشكل خاص في دول مجلس التعاون الخليجي، مما يعكس زيادة الاهتمام بالقطاع، والوعي بضرورة رفع الجاهزية بهدف التصدي للزيادة الحادة في الأمراض المزمنة، وتعزيز سبل الوقاية والتدخل السريع في مراحل مبكرة.

ونفذت دول مجلس التعاون الخليجي خطوات عملية، ترمي إلى رفع سوية الوعي الشعبي، ونشر عادات معيشية أكثر صحة واستدامة، وتحسين سلامة المرضى، وتقليل التكاليف إلى الحد الأدنى، وزيادة إمكانية الحصول على الرعاية الصحية. فضلًا عن ضخ استثمارات بقيمة مليارات الدولارات في القطاع الصحي.

التقنية في خدمة الصحة

ودخلت التقنيات الحديثة بقوة في مجال تطوير القطاع الصحي، وأصبح الوصول إلى مستقبل صحي أفضل، أكثر واقعية. وشهد القطاع دخول تقنيات الذكاء الاصطناعي، والواقع الافتراضي والمعزز، والطباعة ثلاثية الأبعاد، وإنترنت الأشياء، والروبوتات، وتقنية النانو، وتصميم المنتجات الطبية، فضلًا عن تصميم غرف المستشفيات، لتحسين رفاهية المرضى. وشجعت دول مجلس التعاون الخليجي متخصصي الرعاية الصحية على التعاون الكامل مع هذه التقنيات، لتحويل أنظمة الرعاية الصحية غير المستدامة إلى أنظمة مستدامة.

وساهمت الثورة الرقمية أيضًا، في تنظيم العلاقة بين العاملين في القطاع والمرضى، ووفرت علاجات أقل تكلفة وأسرع وأكثر فعالية، في التصدي العالمي لأمراض؛ مثل نقص المناعة المكتسبة (الإيدز) وأيبولا، وحاليًا ضد كوفيد-19، للوصول إلى مجتمعات متعافية صحيًا.

وذكر تقرير صادر عن مركز ديلويت للحلول الصحية، إن معظم دول المنطقة أعطت رفع سوية الرعاية الصحية، أولوية قصوى، مما حقق قفزات نوعية من ناحية التحسين والابتكار والاعتماد على التقنية.

ويحتل توفير مزيد من الأدوية الدقيقة جزءًا كبيرًا من خدمات الرعاية الصحية، وبما أن الطب حاليًا، يستخدم نهجًا واحدًا يناسب الجميع في التشخيص والوصفات الطبية، أي أن 90% من الأدوية التقليدية، تناسب 30 إلى 50% من المرضى فقط. يبرز دور التقنيات الحديثة القائمة على الذكاء الاصطناعي، لتسهم في اكتشاف أدوية جديدة، واتخاذ قرارات سريرية وتشخيصية رئيسة.

ووفقًا لتقرير نشره موقع هارفرد بزنس ريفيو، فإن الذكاء الاصطناعي يساعدنا في تشخيص الأمراض، استنادًا إلى تكامل جميع بيانات المريض والأفكار المتعلقة بوقت اتخاذ القرار، مما يساهم في تعزيز دقة الرعاية الصحية وعمليتها، والوصول إلى العلاج المناسب في الوقت المناسب، فضلًا عن خفض التكلفة، وتحليل كميات هائلة من البيانات، في فترات وجيزة.

وخطت دولة الإمارات العربية المتحدة - بالفعل- خطوات مهمة، في طريقها لتعزيز دور الذكاء الاصطناعي، ودعم اقتصاد المعرفة بما يواكب استراتيجيتها للذكاء الاصطناعي 2031. وبعد تعيين وزير دولة للذكاء الاصطناعي، كان أحد الأهداف الرئيسة، إدخال أدوات الذكاء الاصطناعي إلى مختلف القطاعات؛ بما فيها الرعاية الصحية.

وحولت هيئة الصحة بدبي - على سبيل المثال - بالفعل جميع سجلات المرضى في الإمارة إلى نظام غير ورقي بالكامل في العام 2017، وبتفعيل برنامج سلامة، حولت الهيئة أكثر من 1.4 مليون سجل و112 مليون معاملة إلى الصيغة الرقمية، ويضم النظام 25 تطبيقًا منفصلاً في بوابة واحدة، ما يساعد الطواقم الطبية في الوصول بسهولة إلى البيانات، فضلًا عن إصدار البرنامج لتنبيهات في الوقت الحقيقي، وتحذيرات تلفت الانتباه إلى التغييرات الضرورية في دواء المريض أو حالته.

تمكين المريض عبر الوسائل الرقمية

وتحسن التقنيات الرقمية تجربة المريض، من خلال خدمات متعددة؛ تشمل إرسال نتائج الاختبارات والفحوصات والأدوية والتذكير بالمواعيد رقميًا، بالاعتماد على بوابات الويب المعززة وتطبيقات الهاتف النقال.

ودخلت إلى العالم العربي تطبيقات عديدة، تهدف إلى تطوير سوق التقنية وتعزيز الرعاية الصحية. وابتكرت منصة هيلثيغو - التي تتخذ من دُبي مقرًا لها - طريقة تساعد المرضى على استعادة سجلات صحة عائلاتهم بدقة، والإبلاغ عن حالات الطوارئ، وتحديد المواعيد، وتلقي الأخبار الصحية الشخصية والتذكير بمواعيد الأدوية.

الخدمات الصحية عن بعد

وتساعد التقنيات المُبتكَرة أيضًا، في تفعيل خدمات الرعاية الصحية عن بُعد؛ وأطلقت المملكة العربية السعودية في الأعوام الأخيرة، مشروعًا للصحة الإلكترونية مدته 10 أعوام، لرقمنة خدمات الرعاية الصحية، وربطت وزارة الصحة بين موظفي الرعاية الصحية والمرضى، من خلال منصة موحدة مركزية، باستخدام منتجات من شركة بي إم سي الأمريكية للبرمجيات.

نمو

وتوقع تقرير أصدرته حديثًا شركة فيتش سلوشنز، نمو سوق الرعاية الصحية في العالم العربي، ليصل إلى 243.6 مليار دولار، بحلول العام 2023، بإجمالي نمو يصل إلى 11.7% سنويًا، وسط آمال بثورة رعاية صحية جذرية لم تشهدها المنطقة من قبل.

المفردات

go along with	واكب / يساير
data	معطيات / بيانات
old age	شيخوخة

مزمنة	chronic
السكري	diabetes
متنامي / متزايد	growing/increasing/mounting
ترمي / تهدف إلى	to aim
مستدامة	sustainable
قصوى	maximum
نهج / تخطيط	plan/program/system/tactic
الذكاء الاصطناعي	artificial intelligence
صيغة	format/version/model
تنبيهات	alerts
معزز	consolidated/corroborated/enhanced
برمجيات	programs
جذرية / أصولية	radical

صِلوا الكلمات التالية بمرادفتها:

أنحاء		تغول
رعاية		جوانب
استثمار		عناية
تدخل		توظيف
نمو		رقي

المفردات

املأوا الفراغ بالكلمة المناسبة:

موظف	تكلفة	التصدي	منهكة	واكب
جذري	هيئة	ناحية	معايير	الشيخوخة

1. تحتاج المشاكل والوضع الحالي في القرى والمناطق العربية إلى حل ....
2. قام المجلس الإداري بتشكيل .... مختصة، لبحث أسباب فشل المشروع الخيري الجديد.
3. هناك ثلاثة .... رئيسية لقياس التنمية الاقتصادية.

4. قامت مؤسسة الأونروا بتبني نهج شامل لـ .... للفقر ولآثاره المدمرة على الفرد والمجتمع.

5. .... وزير التربية والتعليم الخطط التي رسمتها الوزارة، لتثقيف وتوعية المواطنين.

6. من .... أخرى، أعلن الرئيس الأمريكي عن رغبة بلاده بالعودة الى اتفاقية إيران.

7. يهدف تأمين .... إلى ضمان الدخل الشهري الدائم لكل من يصل هذه المرحلة العمرية.

8. مصلحة الهجرة .... في مساعيها لإيجاد حلول لإيواء ودمج اللاجئين.

9. تعد .... المعيشة في ولاية تكساس منخفضة جداً، مقارنة بباقي الولايات الأخرى.

10. ألقت الشرطة اليوم القبض على شخص بتهمة الاعتداء على .... بلدية، أثناء قيامه بعمله.

أسئلة الفهم

ناقشوا الأسئلة التالية في مجموعات لا تزيد عن ثلاثة طلاب:

1. ما هي الأمراض التي تهدد الوطن العربي وما هي أسباب الإصابة بها؟
2. أين تتجلى مظاهر تنمية نظام الرعاية الصحية في العالم العربي؟
3. ما هو دور الثورة الرقمية في تطوير مجال الصحة؟
4. كيف بإمكان التقنيات الرقمية أن تحسن تجربة المريض؟
5. من هي الدولة التي نفذت مشروعاً للصحة الإلكترونية، وما هو مضمونه؟

أسئلة المناقشة

ناقشوا الأسئلة التالية في مجموعات لا تزيد عن ثلاثة طلاب:

1. كيف يمكنك وصف التغطية الصحية في بلدك؟
2. في نظرك، من هي الدولة التي توفر أحسن تغطية صحية لمواطنيها؟
3. ماذا يحدث للفقراء في الدول الفقيرة عندما لا يستطيعون تحمل أعباء ومصاريف التغطية الصحية؟
4. هل يمكن برأيك أن تحقق جميع دول العالم اتفاقية حول تطوير تغطية صحية عالمية شاملة؟

الترجمة

ترجموا ما يلي إلى اللغة الإنجليزية:

ودخلت إلى العالم العربي تطبيقات عديدة، تهدف إلى تطوير سوق التقنية وتعزيز الرعاية الصحية. وابتكرت منصة هيلثيغو ـ التي تتخذ من دُبي مقراً لها ـ طريقة تساعد

المرضى على استعادة سجلات صحة عائلاتهم بدقة، والإبلاغ عن حالات الطوارئ، وتحديد المواعيد، وتلقي الأخبار الصحية الشخصية والتذكير بمواعيد الأدوية.

الكتابة

اختاروا موضوعاً واحداً من المواضيع التالية و اكتبوا حوالي 150-200 كلمة:

1. لنحيا حياة صحية، لا بدّ من اتخاذ إجراءات لتغيير نمط الحياة. اذكر بعض النصائح للحفاظ على الصحة، موضحاً تأثيرها الإيجابي على صحة الفرد.
2. هل التغطية الصحية حق أم امتياز؟ هل هناك فئة يجب أن تكون لديها تغطية صحية كاملة بالمجان؟ كيف يمكن التمييز بين من يستحق، ومن لا يستحق؟
3. التغطية الصحية رهينة بعمل الفرد، فإن فقد عمله أو لم تكن له وظيفة رسمية، فقدَ حقوقه في تغطية صحية متكاملة. ما هي الحلول المتوفرة في مثل هذه الحالات؟ وما هي التدابير والإجراءات التي يجب اتخاذها من طرف الحكومات لتوفير مساعدات في هذه الظروف؟

الاستماع والحوار

اذهبوا الى الرابط التالي و ناقشوا المواضيع التي تطرق إليها الفيديو:

https://www.youtube.com/watch?v=gGAImLYyB9Y

UNIT 3: قطاع الصحة في الكويت

الكويت متقدمة عربياً في *أمن الصحة العالمي.*

المصدر: القبس. نشر بتاريخ 10 مارس 2020

قبل عامين، أسكتَ المدير العام لمنظمة الصحة العالمية الحضور في قمة الحكومة العالمية، بقوله إن وباءً مدمّراً يمكن أن يبدأ في أي بلد وفي أي وقت، وان العالم لن يكون مستعدّاً لذلك.

اليوم، ومع وقوع الكرة الأرضية في قبضة فيروس كورونا، يبدو أن ما قاله يستند الى واقع حقيقي، ما يطرح سؤالًا ملحّاً: ما مدى استعدادنا لمواجهة الوباء؟

وفقاً لمؤشر أمن الصحة العالمي، فإن دول العالم لا تتمتع بجاهزية كافية لمكافحة الأوبئة ومنع تفشّيها.

يعد مؤشر أمن الصحة العالمي GHS هو أول تقييم شامل لقدرات الأمن الصحي العالمي، وهو مشروع مشترك مع مبادرة التهديد النووي ومركز جونز هوبكنز للأمن الصحي، (JHU) وتم اعداده بالتعاون مع وحدة المعلومات الاقتصادية (EIU) التابعة

لمجلة إيكونيميست، ويهدف إلى «إحداث تغييرات في أمن الصحة على المستويات الوطنية، وتعزيز القدرات الدولية على مواجهة تفشّي الأمراض المعدية، التي يمكن أن تؤدي إلى أوبئة عالمية».

تحتل الكويت المركز الثالث عربياً والـ 59 عالمياً في مؤشر أمن الصحة العالمي، وفقاً لتقرير أكتوبر 2019. وتصدّرت الولايات المتحدة الأميركية قائمة المؤشر عالمياً، في حين تصدرت السعودية قائمة الدول العربية، كونها الأكثر استعدادا لمكافحة انتشار الأوبئة. ووجدت الدراسة التي شملت 195 دولة، أن الأمن الصحي العالمي «ضعيف جدا» في جميع أنحاء العالم. وليست هناك دولة واحدة مستعدة تماماً للتعامل مع الوباء. ويستخدم التقرير المعلومات العامة لتقييم قدرة كل بلد على منع حالات الطوارئ الصحية واكتشافها والاستجابة لها. ويقيس المؤشر قدرات البلدان من صفر إلى 100 نقطة، وتمثل درجة 100 أعلى مستوى من الاستعداد.

الولايات المتحدة تصدّرت القائمة بكونها الدولة «الأكثر استعداداً» (83.5)، تليها المملكة المتحدة (77.9) ثم هولندا (75.6) وأستراليا (75.5) وكندا (75.3). اما تايلند وكوريا الجنوبية فهما الدولتان الوحيدتان خارج مجموعة الدول الغربية التي دخلت قائمة العشر الأكثر استعداداً.

الكثير من دول أوروبا وروسيا والشرق الأوسط وآسيا وأميركا الوسطى والجنوبية وصفت بأنها «أكثر استعداداً»، حيث تتراوح الدرجات فيها بين 34.3 و66، في حين توجد أغلب الدول المصنفة «الأقل استعدادا» في أفريقيا. كوريا الشمالية (17.5) والصومال (16.6) وغينيا الاستوائية (16.2) مدرجة في أدنى القائمة. أما الصين، مركز تفشّي فيروس كورونا حلّت في المرتبة الـ51 وسجلت 48.2 نقطة. ويقيم مؤشر GHS الأمن الصحي للبلدان وقدراتها عبر 6 فئات و34 مؤشرا و85 مؤشرا فرعيا، من خلال الإجابة عن 140 سؤالًا لتقييم قدرة الدول على مكافحة تفشّي الأوبئة. وتشمل الفئات قدرة الدول على «منع» نشوء مسببات الأمراض و«الاكتشاف المبكر والابلاغ عن الأوبئة ذات الاهتمام الدولي»، ومدى «الاستجابة السريعة» والتخفيف من حدة انتشار المرض، ومدى قدرة «النظام الصحي» على معالجة المرضى وحماية العاملين في القطاع الصحي، و«الامتثال للمعايير الدولية» ومدى «خطر» وقوع الدول في وجه التهديدات البيولوجية.

وكشف التقرير أن متوسط درجة مؤشر GHS العام هو 40.2 من أصل 100. في حين سجلت البلدان ذات الدخل المرتفع متوسط 51.9، وهو وضع يصفه التقرير بأنه «مقلق». كما يكشف المؤشر بوضوح أن جاهزية الدول على مستوى العالم لمواجهة الأوبئة لا تزال ضعيفة للغاية.

مسؤولية جماعية

وأضاف أن ما لا يقل عن 75% من البلدان سجلت درجات منخفضة على المؤشرات ذات الطابع الكارثي العالمي المرتبطة بالمخاطر البيولوجية، وهو ما يعني أن معظم دول العالم غير جاهزة ولا متأهبة لحدث بيولوجي عالمي كارثي. وعلى الرغم من أن 86% من البلدان تستثمر أموالا محليا، أو تقدم منحا للأمن الصحي، بيد أن معظم الدول

لم تخصص تمويلا من الميزانيات الوطنية لسد الفجوات في التأهب والجاهزية. ويواجه أكثر من نصف البلدان مخاطر سياسية وأمنية كبيرة، يمكن أن تقوض القدرة الوطنية على مواجهة التهديدات البيولوجية. كما تفتقر أغلب البلدان الى قدرات أنظمة الصحة الأساسية الحيوية للاستجابة للوباء، والتصدي له ومنع انتشاره.

وأشار التقرير إلى عدم وجود أدلة كافية على أن معظم البلدان أجرت اختبارات لقدرات مهمة في مجال الأمن الصحي، أو أظهرت أنها ستكون فعّالة في أي أزمة.

وذكر التقرير أن التنسيق والتدريب غير كافيين بين المتخصصين في الطب البيطري والحياة البرية والصحة العامة وصانعي السياسات. وحثَّ على ضرورة تحسين امتثال الدول للمعايير الدولية للصحة والأمن.

ويؤكد التقرير أن الأمن الصحي مسؤولية جماعية. وأوصى الحكومات بالتزام العمل من أجل التصدّي لمخاطر الأمن الصحي، وأنه ينبغي قياس قدرة كل بلد على الأمن الصحي بانتظام وشفافية، وأن يعمل المجتمع الدولي معاً لمواجهة التهديدات البيولوجية، مع التركيز على التمويل والاستجابة للطوارئ.

هذا النوع من العمل سيصبح أكثر ضرورة وإلحاحاً، مع ارتفاع عدد وتنوّع الأوبئة على مدار الأعوام الثلاثين الماضية، وفقا لما ذكره المنتدى العالمي للأمن الصحي العالمي.

وسن المتوقع أن يتصاعد هذا الاتجاه. فمع العولمة وانفتاح العالم بعضه على بعض في التجارة والسفر والكثافة السكانية، ومع نمو مشاكل مثل ازالة الغابات وتغيّر المناخ، ندخل حقبة جديدة يزداد فيها خطر وقوع أحداث وبائية، وفق التقرير الذي أشار الى أن المخاطر البيولوجية العالمية في كثير من الحالات تنمو بشكل أسرع من قدرة الحكومات والعلم على مواكبتها.

الإسبان أكثر شعوب العالم صحةً

هناك مجموعة متنوعة من العوامل التي تسهم في البلدان الصحية والسعيدة، كما هو الحال بالنسبة الى البلدان غير الصحية. عادة ما تكون البلدان الأكثر صحة هي البلدان المتقدمة. فهذه البلدان لديها معدلات أقل من التلوث، وامكانية الحصول على رعاية صحية جيدة ومياه شرب نظيفة وآمنة. البلدان غير الصحية من ناحية أخرى، لا تحصل على مياه شرب نظيفة أو أي نوع من الرعاية الصحية. فتتفشّى الأمراض فيها، كما أن مستويات التلوث فيها تكون مرتفعة، ما يؤدي إلى مشاكل صحية وأمراض وموت. متوسط العمر المتوقع لسكان هذه البلدان منخفض، ومعدل وفيات الرضع مرتفع. ونوعية الحياة أقل بكثير من تلك التي تتمتع بها البلدان الأكثر تقدما.

يلقي مؤشر بلومبيرغ للصحة العالمية نظرة على الكثير من هذه العوامل لتصنيف أكثر البلدان صحة (وغير صحية) في العالم. تشمل العوامل التي يتم استخدامها لتصنيف البلدان ما يلي: المخاطر الصحية (استخدام التبغ وارتفاع ضغط الدم والسمنة)، توفر المياه النظيفة، متوسط العمر المتوقع، سوء التغذية، أسباب الوفاة.

باستخدام هذه العوامل، يتم منح كل بلد تصنيف بمقياس من صفر إلى 100 درجة. وفقا لتصنيف 2019، يعتبر سكان إسبانيا أكثر الناس صحة في العالم برصيد 92.75.

وتتميز إسبانيا بعمر متوقع يبلغ 83.5 عاما، وهو متوسط متوقع أن يرتفع الى 85.8 بحلول عام 2040 ليكون الأعلى في العالم.

على الرغم من أن الإسبان يشتهرون بالتدخين وشرب الكثير من النبيذ والسهر حتى وقت متأخّر، الا أن خياراتهم الغذائية وأسلوب حياتهم اليومية تضعهم في الصدارة. فالنظام الغذائي في اسبانيا هو نظام البحر المتوسط الغذائي المليء بالدهون الصحية والبقوليات والقليل من اللحوم الحمراء والأطعمة المصنعة.

ويأكل الإسبان أيضاً الكثير من الفواكه والخضروات، ويمشون في كل مكان ووقت تقريبا. ولدى إسبانيا أعلى نسبة من المشاة في أوروبا، حيث يسير 37% منهم للعمل بدلا من القيادة (فقط 6% من الأميركيين يذهبون الى العمل مشياً على الأقدام). بالإضافة الى ذلك، فان برنامج الرعاية الصحية الشامل في اسبانيا ناجح للغاية، وقد نجحوا في خفض معدل الوفيات التي يمكن الوقاية منها، الى 45.4 حالة وفاة لكل 100 ألف شخص.

البلدان الأخرى التي احتلت مراتب متقدمة في مجال الصحة تشمل ايطاليا وأيسلندا واليابان وسويسرا. ومن العوامل التي تسهم في تمتع سكان تلك البلدان بالصحة والعافية، كثرة الأنشطة التي يمكن ممارستها في الهواء الطلق والتمرينات الرياضية والرعاية الصحية عالية الجودة والوجبات الغذائية الصحية. اضافة الى الكثير من العوامل الأخرى، التي تسهم في أنماط الحياة الصحية لهذه الدول وتوقّعات الأعمار المرتفعة.

مشكلة وطنية وعالمية

مسألة تكاليف الرعاية الصحية ليست مجرد اهتمام فردي، بل هي مشكلة وطنية وعالمية أيضاً. ووفق منظمة الصحة العالمية، فإن تكاليف الرعاية الصحية تنمو بوتيرة أسرع من الاقتصاد العالمي. لكل بلد مناخه السياسي والاقتصادي والاجتماعي الفريد، الذي يؤثر في سياسات الرعاية الصحية والانفاق. وفي استعراض لبيانات نفقات الرعاية الصحية من منظمة التعاون الاقتصادي والتنمية (OECD)، وهي مجموعة تضم 34 دولة أغلبها بلدان غنية، لأن الإنفاق الصحي يرتبط بثروة الدولة، تبين أن ثلث دول منظمة التعاون الاقتصادي والتنمية تنفق أكثر من 2000 دولار للشخص الواحد كل عام على الرعاية الصحية. الدول الـ 12 التي لديها أعلى تكاليف للرعاية الصحية، تنفق حوالي ضعف هذا المبلغ.

الاختلافات بين البلدان مذهلة، حيث تتراوح بين أكثر من 10 آلاف دولار للشخص الواحد في البلاد ذات نظام الرعاية الصحية الأكثر تكلفة إلى 541 دولاراً في بلدان اخرى.

وتخصص البلدان التي تنفق أكثر على الرعاية الصحية ما بين 3% و14% من إجمالي الناتج المحلي (GDP) على تكاليف الرعاية الصحية. ويبلغ متوسط المبلغ الذي يتم انفاقه على الرعاية الصحية لكل شخص في الدول المماثلة 3018 دولاراً، وهو أقل من نصف المبلغ الذي تنفقه الولايات المتحدة البالغ 10.586 آلاف دولار للشخص الواحد في السنة.

وتشمل النفقات الصحية للدول دفع تكاليف الطب العام، واجراءات التشخيص مثل فحوص الرنين المغناطيسي ودخول المستشفى والجراحات، وكذلك الأدوية والعلاج الموصوف. في الولايات المتحدة - على سبيل المثال - ما يرفع تكلفة الرعاية الصحية على نحو خاص، هو ارتفاع أسعار الأدوية والزيادة في حجم السكان وكبار السن.

تتصدر الولايات المتحدة المرتبة الأولى عالميا في الانفاق على الرعاية الصحية بين الدول المتقدمة في العالم. ووفق بيانات منظمة التعاون الاقتصادي والتنمية (OECD) في عام 2018 (آخر الأرقام المتاحة)، كان معدل إنفاق الولايات المتحدة مذهلاً عند أكثر من 10 آلاف دولار للفرد، أي ما يعادل 17% من الناتج المحلي الاجمالي، وحلت سويسرا في المركز الثاني، في حين احتلت لوكسمبورغ المركز الثالث.

كيف تُحدَّد جودة الرعاية الصحية

هناك عوامل عدة تحدد مستوى جودة الرعاية الصحية في كل بلد، ويشمل ذلك عملية الرعاية (تدابير الرعاية الوقائية والرعاية الآمنة والرعاية المنسّقة والمشاركة وتفضيلات المريض)، والوصول اليها (القدرة على تحمل التكاليف في الوقت المناسب) والفعالية الإدارية والانصاف ونتائج الرعاية الصحية (صحة السكان والوفيات القابلة للرعاية الصحية، ونتائج صحية محددة لأمراض محددة). وقد استخدمت دراسة أجراها «صندوق الكومنولث» هذه المقاييس لتصنيف 11 دولة، بناء على جودة الرعاية الصحية فيها. وجاءت المملكة المتحدة وأستراليا وهولندا في صدارة تلك البلدان. ويصنف مؤشر الوصول إلى الرعاية الصحية والجودة (HAQ) درجات نتائج الرعاية الصحية على مقياس من صفر إلى 100، والبلد الذي يحوز 100 درجة يعد الأفضل. وتتراوح درجات البلدان التي لديها أفضل أنظمة الرعاية الصحية في العالم بين 90 — 96.1، وحققت هولندا أعلى درجة عند 96.1.

نوعية الحياة!

الرعاية الصحية هي الحفاظ على الصحة أو تحسينها، من خلال الوقاية والتشخيص والعلاج من الإصابات والأمراض، وغيرها من المشاكل الصحية الجسدية أو العقلية. وتشمل الرعاية الصحية طب الأسنان وعلم النفس والتمريض والطب والعلاج الطبيعي والعلاج المرتبط بالعمل وغير ذلك الكثير. ويختلف الوصول إلى الرعاية الصحية باختلاف البلدان والمدن والأفراد، ويتأثر إلى حد كبير بالعوامل الاقتصادية والاجتماعية. وفقاً لمنظمة الصحة العالمية، يتطلب نظام الرعاية الصحية الذي يعمل جيداً، آلية تمويل ثابتة وقوة عاملة مدربة تدريبا جيدا ومدفوعة الأجر بشكل جيد، ومرافق جيدة الصيانة، والوصول إلى معلومات موثوقة تستند إليها القرارات. يعتبر الحصول على الرعاية الصحية حقاً أساسيا من حقوق الإنسان. ويمكن أن يؤدي نقص الرعاية الصحية الجيدة إلى تدنّي نوعية الحياة، وانخفاض متوسط العمر المتوقع، مقارنةً بالبلدان التي لديها نظام رعاية صحية مستقر، ويمكن الوصول إليه.

13 دولة لديها أفضل رعاية صحية في العالم

صنّف مؤشر الازدهار الصادر عن معهد ليغاتوم 149 دولة في فئات مختلفة عدة، بما في ذلك نظام الرعاية الصحية. ويبحث التقرير الذي يستند اليه المؤشر في عوامل تشمل البنية التحتية الصحية والصحة العقلية والبدنية الأساسية وتوافر الرعاية الوقائية. واستناداً إلى أحدث تقرير، فإن البلدان التي لديها أفضل نظم رعاية صحية وأكثرها تطورا هي:

كندا وقطر وفرنسا والنرويج ونيوزيلندا وألمانيا وهونغ كونغ وهولندا وسويسرا وسنغافورة ولوكسمبورغ واليابان، والسويد.

البلدان الأسوأ صحياً

يعد مؤشر انديغو ولينيس، الذي جمعه وأعده ريتشارد ديفيس في شركة بلومزبري ايكونوميكس للاستشارات الاقتصادية، ونشرته شركة LetterOne الاستثمارية في مجلة غلوبل بيرسبيكتيف، واحداً من أكثر المؤشرات شمولا حتى الآن، حيث يضع تصنيفا عالمياً جديداً للبلدان الأكثر والأقل صحة في العالم ويغطي 191 دولة.

يقدم المؤشر سلسلة من التصنيفات بناء على 10 مقاييس أساسية، وتصنف البلدان من الأضعف الأداء (المرتبة رقم 1) الى الأقوى (المرتبة الـ 191، على سبيل المثال).

المقاييس العشرة التي استند اليها المؤشر هي متوسط العمر المتوقع (أن يكون بصحة جيدة) وضغط الدم ونسبة الغلوكوز في الدم (خطر الإصابة بالسكري) والسمنة والاكتئاب والسعادة وتعاطي الكحول والتدخين والخمول (عدم ممارسة الرياضة) والانفاق الحكومي على الرعاية الصحية.

وتصدرت أفريقيا جنوب الصحراء، التي مّزقتها الحرب، بلدان العالم الأقل صحة.

وربما الأكثر اثارة للدهشة، هي التصنيفات السيئة التي حازتها بلدان تتسم بشاعريتها وجمال الحياة فيه، مثل سانت لوسيا وبربادوس، بسبب سوء التغذية وعدم ممارسة الرياضة. وقد تم استبعاد البلدان التي كانت بياناتها مفقودة على أكثر من مقياس (بما في ذلك جنوب السودان وبالاو ونيوي وتوفالو وجزر كوك وجزر البهاما وغينيا الاستوائية، وليبيا) من المؤشر النهائي الذي يضم 151 دولة، منها 68 دولة لديها بيانات متاحة في جميع المقاييس العشرة و83 منها 9 مقاييس متاحة.

بين النرويج وأميركا

على الرغم من امتلاك الحكومة الأميركية أعلى ميزانية للرعاية الصحية، فإن معظم التكلفة لا يتم تمويلها من القطاع العام، بل تأتي من النفقات الشخصية، وتلك المتعلقة بالتأمين الصحي الخاص. دول مثل النرويج (التي احتلت المركز الرابع) تنفق على الكثير من الأدوية. وبفضل فائض إيرادات المشتقات النفطية، تقوم النرويج بتمويل الكثير من الطب الاجتماعي والنفقات الأخرى، من خلال صندوق المعاشات الحكومية. النقطة المهمة هي أن النرويج لا تزال واحدة من أكثر الدول صحة، على

الرغم من انفاقها الأقل بكثير من الولايات المتحدة على الرعاية الصحية (6351 دولاراً للفرد).

تنفق الولايات المتحدة أكثر على ميزانية الرعاية الصحية بالدولار للفرد الواحد، وكذلك كنسبة الى الناتج المحلي الاجمالي. ومع ذلك، عند مقارنة المبلغ المدفوع على أساس الناتج المحلي الاجمالي ينتج تصنيفات مختلفة قليلا. تحتل الولايات المتحدة وسويسرا مرة أخرى المركزين الأولين، حيث تنفقان 17.15% و12.25% من الناتج المحلي الاجمالي، على التوالي. المركز الثالث يذهب إلى فرنسا بنسبة 11.45%، تليها ألمانيا بنسبة 11.27%. بغض النظر عن كيفية تحليلها، ليس هناك إنكار أن الولايات المتحدة الأكثر إنفاقاً على الرعاية الصحية وبهامش كبير. ويمكن تفسير حجم هذه الفجوة، إلى حد كبير، من خلال شبكة مجزّأة من التأمين الصحي في الولايات المتحدة، وأنواع الدفع المتعددة وشركات التأمين التي تقدم خدمات مختلفة لا تخضع للرقابة الفدرالية، في تناقض مع الدول الأخرى، التي تفرض حكوماتها الرقابة على ذلك، من خلال وضع معايير للتسعير والخدمات، يحدد معياراً وطنياً للرعاية.

أسوأ نظم الرعاية الصحية

تواجه البلدان النامية تحديات هائلة في توفير الرعاية الصحية الشاملة الأساسية لمواطنيها. وفي كل عام، يموت أكثر من ثمانية ملايين طفل نتيجة أمراض تمكن الوقاية منها في البلدان التي لديها أسوأ أنظمة للرعاية الصحية. وكان كوفي عنان، الأمين العام الأسبق للأمم المتحدة، قال: «تحدث كل هذه الوفيات تقريبا في البلدان النامية. وهي وفيات يمكن منع عدد كبير منها». هناك الكثير من الأسباب التي تجعل هذه البلدان الأسوأ لجهة أنظمة الرعاية الصحية، فجميع البلدان المدرجة في هذه القائمة تعاني من فقر مدقع، مع استغلال الكثير منها بشكل منهجي على مر السنين من قبل الاستعمار الأوروبي. كما لا يستفيد سكان هذه الدول من العولمة والبنية التحتية فيها متهالكة للغاية، اضافةً الى الحكومات الدكتاتورية أو غير الفعّالة التي تزيد الأوضاع سوءاً، وسوء تخصيص الموارد. وفيما يلي البلدان التي لديها أسوأ أنظمة للرعاية الصحية. وقد تم تصنيف كل بلد من البلدان الواردة هنا من قبل منظمة الصحة العالمية (WHO) وفقا لمؤشر «أداء النظام الصحي الشامل»، على مقياس من صفر — 1.

مآخذ رئيسية

يشكّل الانفاق على الرعاية الصحية أمر بالغ الأهمية لمعظم الدول ومواطنيها من أجل الحفاظ على صحتهم ورعايتهم.

تستمر الولايات المتحدة في إنفاق أكبر مبلغ على الرعاية الصحية للشخص الواحد، على الرغم من أن النتائج الصحية وجودة الرعاية لا تصنف غالباً بكونها في المرتبة العليا.

تتبع الكثير من الدول الأوروبية الولايات المتحدة في الإنفاق على الرعاية الصحية، لكن الفارق الكبير هو أن معظم هذه التكلفة يتم دعمها من قبل الحكومة، في حين تعتمد الولايات المتحدة على خطط التأمين الصحي الخاصة المكلفة.

الدول الأكثر إنفاقاً على الرعاية الصحية:

فيما يلي أكثر 17 دولة حول العالم تنفق على الرعاية الصحية للفرد الواحد، وذلك وفقا لمنظمة التعاون الاقتصادي والتنمية:

1 - الولايات المتحدة: 10209 دولارات
2 - سويسرا: 8009 دولارات
3 - لوكسمبورغ: 6475 دولاراً
4 - النرويج: 6351 دولاراً
5 - ألمانيا: 5728 دولاراً
6 - السويد: 5511 دولاراً
7 - ايرلندا: 5449 دولاراً
8 - النمسا: 5440 دولاراً
9 - هولندا: 5386 دولاراً
10 - الدنمارك: 5183 دولاراً
11 - فرنسا: 4902 دولار
12 - كندا: 4826 دولاراً
13 - بلجيكا: 4774 دولاراً
14 - اليابان: 4717 دولاراً
15 - أيسلندا: 4581 دولاراً
16 - استراليا: 4543 دولاراً
17 - المملكة المتحدة: 4246 دولاراً

تجربة سويسرا نموذج يُحتذى به

الرعاية الصحية في سويسرا شاملة، والتأمين الصحي مطلوب لجميع الأشخاص الذين يعيشون في سويسرا. وعلى عكس البلدان الأوروبية الأخرى، لا تعتمد الرعاية الصحية في سويسرا على الضرائب أو التمويل من قبل أرباب العمل، بل يدفع الأفراد مقابلها من خلال مساهمتهم في برامج الرعاية الصحية السويسرية. ليست هناك خدمات صحية مجانية تقدمها الدولة في سويسرا، لكن تغطية التأمين الصحي الأساسية تغطي 80% — 90% من تكاليف الرعاية الصحية، بما في ذلك العلاج في العيادات الخارجية، والعلاج في حالات الطوارئ والوصفات والحمل والولادة واللقاحات وإعادة التأهيل بعد العملية، وأكثر من ذلك. وتجمع سويسرا بين أنظمة الرعاية الصحية الخاصة والعامة المدعومة، لتزويد مواطنيها بشبكة كبيرة من الأطباء المؤهلين والمرافق والمستشفيات الطبية الأفضل تجهيزا، وليست هناك قوائم انتظار.

ويعتقد أن نظام الرعاية الصحية في فنلندا هو واحد من أفضل أنظمة الرعاية الصحية في العالم. الرعاية الصحية في فنلندا هو نظام لامركزي للغاية، مكوّن من ثلاثة مستويات، يموّلها القطاع العام. البلديات مسؤولة عن تقديم خدمات الرعاية الصحية لسكانها. ويأتي التمويل من مصدرين: التمويل المحلي على أساس الضرائب

المستخدمة لتوفير خدمات الرعاية الصحية الأولية، والتأمين الصحي الوطني (NHI)، والذي يتم تمويله برسوم إجبارية. ويموّل التأمين الصحي الوطني الرعاية الصحية الخاصة والرعاية الصحية المهنية والرعاية الخارجية. وفي دراسة أجرتها المفوضية الأوروبية، صرّح 88% من المشاركين الفنلنديين بأنهم راضون عن الرعاية الصحية في بلدهم.

المفردات

قبضة	grip
تفشّي / انتشار	spread
مكافحة	fight
نشوء / بزوغ	birth/development/emergence
الامتثال / الاستسلام	obedience/submission/surrender
جهوزية / استعداد	availability/readiness
متأهب / مستعد	prepared/on alert
تقوض	crash down/fall down
إلحاح / ضرورة	persistence/urge/urgency
حقبة	era
رضّع	newborns
الصدارة	front place/front position
بقوليات	legumes
المشاة	pedestrians
الرنين المغناطيسي	magnetic resonance
هامش	border/periphery/sideline/margin

صِلوا الكلمات التالية بمرادفتها:

وباء		تأهيل
إعداد		ممارسة
تعامل		ترتيب
تصنيف		مرض
تعاطي		تصرف

المفردات

املأوا الفراغ بالكلمة المناسبة:

تفشّي	مصنفة	حقبة	ثلث	الصدارة
لتعامل	اهتمام	معدل	إنفاق	إجبارية

1. تأمل أوروبا بتأسيس نموذج جديد للإدارة في العراق بأسرع وقت ممكن، وطي .... الصراع بشكل كامل.
2. ما هو إجمالي حجم .... الولايات المتحدة الأمريكية العسكري في الشرق الأوسط؟
3. أظهرت إحصاءات رسمية حديثة في مصر، زيادة في .... الطلاق وتراجع في عقود الزواج.
4. لم تعد مشكلة اللاجئين تخص المنطقة العربية أو أوروبا فقط، إنما أصبحت أزمة عالمية تتطلب تبني رؤية مشتركة من كافة الدول لـ .... معها.
5. قال وزير الصحة "إنّ بلاده لن تلجأ إلى قانون الصحة العامة لفرض .... تلقي لقاح كورونا."
6. تظاهرة في سياتل الأميركية اعتراضاً على .... العنصريّة وجرائم الكراهية ضد الآسيويين.
7. يتعرض نحو .... الغذاء في العالم إلى الفقد أو الإهدار.
8. إيران .... من ضمن أكثر الدول قمعاً للحريات، والأكثر انتهاكاً لحقوق الإنسان.
9. هناك .... بتدريس حقوق الإنسان.
10. الإمارات في .... الأولى عربياً في سدّ الفجوة بين الجنسين.

أسئلة الفهم

ناقشوا الأسئلة التالية في مجموعات لا تزيد عن ثلاثة طلاب:

1. ما هو مؤشر أمن الصحة العالمي GHS؟ وما هي مميزاته؟
2. كيف أصبحت العولمة وانفتاح العالم على بعضه البعض من مسببات أزمات صحية عالمية؟
3. لماذا يعد الإسبان أكثر شعوب العالم صحةً؟
4. ما هي البلدان التي لديها أفضل نظم رعاية صحية في العالم؟
5. ما هو الفرق بين الرعاية الصحية في سويسرا وباقي العالم؟

أسئلة المناقشة

ناقشوا الأسئلة التالية في مجموعات لا تزيد عن ثلاثة طلاب:

1. بعد فيروس كورونا المستجد، ما هي الفرص التي ستنبثق من هذه الجائحة، لتكون سبباً في تعافي وتطوير مجال الصحة؟

2. إذا كان بإمكانك تغيير شيء واحد في نظام الرعاية الصحية العالمي، فماذا سيكون؟
3. هل يتخذ الناس قرارات منطقية وسليمة بشأن الصحة؟ هل يحق للدول التدخل في قرارات الأفراد، عندما لا يتخذون قرارات حكيمة وينتهي بهم الأمر في حالة صحية سيئة أو بفواتير باهظة؟
4. اجتاح فيروس كورونا العالم كله فأسقطه في دوامة يصعب الخروج منها سليماً. هل تعتقد أن الدول ستستثمر أكثر وأكثر في وسائل التطبيب عن بعد، عوض الزيارات التقليدية للطبيب؟

الترجمة

ترجموا ما يلي إلى اللغة الإنجليزية:

وتشمل النفقات الصحية للدول دفع تكاليف الطب العام، وإجراءات التشخيص مثل فحوص الرنين المغناطيسي ودخول المستشفى والجراحات، وكذلك الأدوية والعلاج الموصوف. في الولايات المتحدة - على سبيل المثال - ما يرفع تكلفة الرعاية الصحية على نحو خاص، هو ارتفاع أسعار الأدوية والزيادة في حجم السكان وكبار السن.

الكتابة

اختاروا موضوعاً واحداً من المواضيع التالية و اكتبوا حوالي 150-200 كلمة:

1. كيف يمكن لبلدان العالم أن تستجيب بسرعة عند ظهور الفيروسات السريعة الانتشار؟
2. هل يجب على القطاع الصحي مواكبة التطورات التكنولوجية العالمية من أجل تحقيق نظام صحي متكامل؟ كيف يمكن للتكنولوجيا أن تساعد في تنمية هذا القطاع؟
3. هل تؤدي المنافسة المتزايدة بين مؤمني قطاع الصحة الخاص إلى تحسين الجودة؟ أم أنها تؤدي فقط إلى تجزئة النظام؟ هل العهود لتقديم رعاية أفضل تؤدي إلى الكفاءة؟ أم أنها تخفيف تكلفة فقط؟ ما هي آلية الرقابة الصحيحة لمؤمني قطاع الصحة الخاص، الذين قد لا يخضعون لنفس قواعد الشفافية في القطاع العام؟

الاستماع والحوار

اذهبوا الى الرابط التالي و ناقشوا المواضيع التي تطرق إليها الفيديو:

https://www.youtube.com/watch?v=wlWHmOz2wUk

8

ARAB UPRISINGS
الربيع العربي

UNIT 1: الموجة الثانية لانتفاضات الربيع العربي

هل هذا هو الربيع العربي الثاني؟

بقلم: مروان المعشر. نشر بتاريخ 05 نوفمبر 2019

بعد نحو عقد على انحسار الربيع العربي، اجتاحت موجة جديدة من الاحتجاجات مختلف أنحاء الشرق الأوسط وشمال أفريقيا. فما هو عامل الاختلاف هذه المرة؟ وهل لدى المحتجين حظوظٌ أكبر بتحقيق مبتغاهم؟

يعتقد كثرٌ أن الربيع العربي الذي انطلقت شرارته مع إقدام بائع فواكه تونسي متجوّل على إضرام النار في نفسه في العام 2010، كان مصيره الفشل. فمنذ العام 2013، وفيما خلا تونس، احتفظ السلطويون بالسيطرة في مختلف أرجاء العالم العربي، أو استعادوا هذه السيطرة. ثم عمدت الأنظمة اللاديمقراطية إلى تشويه سمعة المحتجّين، من خلال الزعم بأن مؤامرة غربية هي التي دفعت بالناس إلى النزول إلى الشارع في طرابلس (ليبيا)، والمنامة، وميدان التحرير في مصر، وفي مختلف أنحاء المنطقة. لكن الشرق الأوسط ظلّ يعاني من غياب الفرص السياسية والاقتصادية. والآن، تحمل الاحتجاجات الوطنية في الجزائر ولبنان والسودان والعراق معها بوادر موسم جديد من مواسم الاضطرابات الأهلية، والدعوات من أجل إحلال الديمقراطية في المنطقة.

انتهى الربيع العربي الأول في العام 2013 لسببَين: إما لأن الحكومات العربية قمعت الاحتجاجات بالقوة أو المال أو الاثنَين معاً؛ وإما لأن الجماهير العربية رأت ما حدث في ليبيا وسوريا واليمن، وأرادت أن تتجنّب تفاقُم الأوضاع في بلدانها والانزلاق نحو حرب أهلية. بيد أن المشكلات التي كانت في جذر اندلاع الاحتجاجات لم تتبخر، وحدهم

DOI: 10.4324/9781003193234-9

المحتجون اختفوا من الساحات. وعندما تراجعت أسعار النفط في العام 2014، خسرت حكومات كثيرة في العالم العربي أداةً فعّالة تستخدمها في تهدئة المظالم الاقتصادية لمواطنيها. وعلى الرغم من أن هذه الحكومات كانت عرضة للسقوط، إلا أن معظمها لم يستوعب بعد أن المنظومة الريعية التي تُبقيها في السلطة، بدعمٍ من أسعار النفط المرتفعة وشبكات المحسوبيات، لم تعد قابلة للاستمرار.

ربما خُيِّل إلى الحكومات العربية التي تتمسّك بالسلطة، أنها تمكّنت من تجاوز عين العاصفة وأصبحت في وضعٍ آمن. لكن الاحتجاجات الراهنة تُبيّن أنها لم تُحسن استخدام الهدنة التي حصلت عليها. فهي لم تبادر إلى تطبيق أي إصلاحات سياسية لجعل الأنظمة أكثر شمولاً ولا أي إصلاحات اقتصادية لمعالجة الفساد وتحسين الحوكمة واستحداث وظائف، وهكذا تواصلت المشكلات ودفعت بمجموعة من المحتجين الذين يتحلّون بدرجة أكبر من الحكمة إلى النزول إلى الشارع مجددا.

تُركّز الموجة الثانية – الربيع العربي الثاني – على المسائل عينها. لكن المحتجّين تعلّموا من أخطائهم السابقة، وهم يسعون وراء أهداف جديدة، ويستخدمون وسائل جديدة لتحقيق تغييرات حقيقية ودائمة على مستوى المنطقة. لكن ما الذي يختلف هذه المرة؟ وهل ستؤدّي هذه الاختلافات إلى تغيير في الحصيلة؟

أولاً الخاصّية الأساسية المشترَكة بين جميع هذه الاحتجاجات هي هوّة الثقة. في الاحتجاجات السابقة - ومنها الربيع العربي - ضغطت الشعوب على الأنظمة الحاكمة من أجل إجراء تغييرات بنيوية لتلبية المطالب الشعبية. وعند امتناع الأنظمة عن الاستجابة لهذه المطالب، غالباً ما كان المحتجّون يتحوّلون نحو قادة المعارضة ليروا ما إذا كان هؤلاء قادرين على تحقيق نتائج. لكن في الموجة الراهنة، بلغ غياب الثقة بجميع القادة السياسيين نقطة اللاعودة. يلمس المواطنون في مختلف أرجاء العالم العربي أن لا الحكومات ولا قوى المعارضة عملت على تحقيق الإصلاحات السياسية والاقتصادية الموعودة. وهم يعتبرون أيضاً أن الطرفَين عاجزان عن الوفاء بهذه الوعود، لذلك يريدون بصورة أساسية أن يبدأوا من الصفر مع سياسيين جدد وأحزاب سياسية جديدة بالكامل. وهذا كان واضحاً على وجه الخصوص في رد الفعل على خطة الإصلاحات التي اقترحتها الحكومة اللبنانية لاسترضاء المحتجين، إذ كان الجواب "ربما تعجبنا الرسالة، لكننا لا نثق بمرسِلها".

ثانياً، الاحتجاجات سلمية على الرغم من عسف الأنظمة التي تقف في مواجهتها، واستعدادها للجوء سريعاً إلى العنف ضد المتظاهرين. في الجزائر والسودان على وجه الخصوص، استخدم الجيش تكتيكات همجية وقمعية على امتداد عقود من الزمن، لكن المتظاهرين رفضوا - حتى تاريخه - اللجوء إلى العنف بأي طريقة من الطرق. وقد تمكّنوا، من خلال سلميّتهم، من الحصول على دعم داخلي وخارجي واسع والحفاظ عليه، وفي نهاية المطاف، اضطُرّ الجيش في البلدَين إلى إعارتهما آذاناً صاغية.

ثالثاً، يرفض المتظاهرون الانقسامات الطائفية في السياسة، التي تُفضي بصورة شبه حتمية إلى حكمٍ غير ديمقراطي. في لبنان، تتسبّب الترتيبات السياسية الطائفية عميقة الجذور، حيث الهوية الدينية أو الإثنية هي الأساس في العمل، بانقسامات وظروف قاسية ومريرة، تؤدّي إلى تقويض الوئام الوطني الضروري لتحقيق الإصلاحات الديمقراطية.

وعلى نحوٍ غير متوقّع، لم يعتمد المتظاهرون اللبنانيون استراتيجية سلمية وغير عنيفة وحسب، بل تبنّوا أيضاً، ولأول مرة، رسالة بعيدة تماماً عن الطائفية.

التحدّي في العالم العربي اليوم هو أن النظام العربي القديم، القائم على المحسوبيات المدعومة بواسطة النفط والقوة الغاشمة، قد أصبح من غياهب الماضي. لكن ثمة صعوبات تعترض إنشاء منظومة عربية جديدة قوامها الحوكمة الجيدة والكفاءة والإنتاجية. كانت المنظومة العربية القديمة تُعوّل على حجّة تُساق رداً على الإصلاحيين: "إذا قمتم بالإطاحة بنا، فسوف يحكمكم الجيش أو الإسلاميون"، أما اليوم فالمتظاهرون يرفضون هذه الحجّة التي يرون فيها خياراً مخطئاً. بيد أن الممارسات التي لجأت إليها الحكومات العربية لفترة طويلة وحالت دون تطوير مؤسسات شاملة وديمقراطية وفاعلة، تركت فراغاً في القيادة لدى النظام وقوى المعارضة على السواء. ويتجلّى بشدّة ذلك الفراغ بأوضح صوره اليوم.

لقد وصل الربيع العربي الجديد - حتى الان - إلى اثنَي عشر بلداً من أصل اثنَين وعشرين. لكن نظراً إلى عدم وجود مؤسسات موثوقة في المنطقة من شأنها أن تُلبّي مطالب الناس المحقّة بالحصول على إدارة فاعلة لبلدانهم، فإن مآلات الأمور غير واضحة المعالم. يمكن أن تكون النتيجة - مرةً أخرى - حرباً أهلية وحمامات دم، أو أنظمة قمعية تعاني مزيداً من الإضعاف وتتمسّك بالسلطة من جديد. لكن الاحتجاجات الأكثر نضجاً قد تُفضي إلى نتائج أفضل، حتى لو كان الطريق نحو بناء دولة فاعلة وكفوءة طويلًا وشاقاً.

المفردات

setting fire	إضرام النار
failure	الفشل
control	السيطرة
mutilate	تشويه
conspiracy	مؤامرة
deterioration	تفاقُم / تدهور
at the moment	الراهنة / الحالية
non-return	اللاعودة
unable	عاجز
to fulfill (a promise)	الوفاء (بالعهد)
despotism	عسف / طغيان
army	الجيش
letter	رسالة

petroleum	النفط
brutal	الغاشمة / الوحشية
hard	شاقاً

صِلوا الكلمات التالية بمرادفتها:

صيت		انحسار
انحلال		سمعة
نتيجة		سقوط
خمود		فساد
رسوب		حصيلة

المفردات

املأوا الفراغ بالكلمة المناسبة:

موجة	تفاقُم	إصلاحات	وعود	منظومة
مبتغى	عاصفة	استحداث	حتمية	النضج

1. إن مسألة الاحتفاظ بالسيطرة التامة على الساحة السياسية بأي ثمن كان ضرورة .... بالنسبة لنتانياهو.
2. وزير الاقتصاد اللبناني يحذّر من .... الأزمة الاجتماعية والاقتصادية، إذا لم تشكّل الحكومة بسرعة.
3. الولايات المتحدة الامريكية ترغب في .... تصريح إقامة العمل.
4. انتقد الشعب .... الحكومة التي لم تتحقق طيلة السنوات الماضية.
5. تسعى بعض الدول الى اتباع .... تعليمية مماثلة لتلك المعتمدة في أوروبا.
6. هناك من يقول إن ترامب يفتقد .... السياسي الضروري.
7. أدت وفاة الكاتبة النسوية الكبيرة نوال السعداوي الى .... من الحزن والتعاطف على مواقع السوشيال ميديا.
8. الرفاهية الاجتماعية أصبحت .... فئات وشرائح مجتمعية عديدة.
9. وجد رئيس الوزراء الكندي جاستن ترودو نفسه في قلب .... سياسية، بعد جدل حول منحه عقداً لمنظمة خيرية.
10. أوضح تقرير الأونروا أن المدارس في غزة بحاجة إلى .... فورية لبدء السنة الدراسية.

أسئلة الفهم

ناقشوا الأسئلة التالية في مجموعات لا تزيد عن ثلاثة طلاب:

1. ما هو الحدث الذي أشعل وقود الربيع العربي الأول؟
2. حسب المقال، ما هي أسباب فشل الربيع العربي؟
3. ما هو الانطباع الذي خلفه فشل الربيع العربي في حكومات الدول المعنية؟
4. ما هي أوجه الاختلاف بين الانتفاضة الأولى والثانية؟
5. فيما يخص الآونة الأخيرة، ما هو التحدي الذي يواجه العالم؟

أسئلة المناقشة

ناقشوا الأسئلة التالية في مجموعات لا تزيد عن ثلاثة طلاب:

1. لماذا يحتل المحتجون والمنتفضون الساحات العامة ذات الطبع التاريخي بالخصوص؟ ما هي العبرة من ذلك؟
2. ما هو السر وراء نجاح الانتفاضات الشعبية؟
3. كيف كانت ردود فعل الدول الغربية تلقاء انتفاضات الربيع العربي؟
4. هل كان للربيع العربي انعكاسات على دول العالم؟

الترجمة

ترجموا ما يلي إلى اللغة الإنجليزية:

لقد وصل الربيع العربي الجديد - حتى الآن - إلى اثنَي عشر بلداً من أصل اثنَين وعشرين. لكن نظراً إلى عدم وجود مؤسسات موثوقة في المنطقة من شأنها أن تُلبّي مطالب الناس المحقّة بالحصول على إدارة فاعلة لبلدانهم، فإن مآلات الأمور غير واضحة المعالم. يمكن أن تكون النتيجة - مرةً أخرى - حرباً أهلية وحمامات دم، أو أنظمة قمعية تعاني مزيداً من الإضعاف وتتمسّك بالسلطة من جديد. لكن الاحتجاجات الأكثر نضجاً قد تُفضي إلى نتائج أفضل، حتى لو كان الطريق نحو بناء دولة فاعلة وكفوءة طويلاًوشاقاً.

الكتابة

اختاروا موضوعاً واحداً من المواضيع التالية و اكتبوا حوالي 150-200 كلمة:

1. أضرم محمد البوعزيزي البائع التونسي المتجول النار في نفسه، مما أوقد موجة من الانتفاضات العارمة في أرجاء البلاد والبلدان العربية الأخرى ضد استبداد الأنظمة الحاكمة، وهكذا انطلق "الربيع العربي". هل تظن أن هذا الفعل عمل بطولي غيّر مجرى التاريخ؟ أم أن الانتفاضة السلمية هي الحل الأنجح دائماً؟

2. من الملامح المهمة فيما يتعلق بانتفاضات الربيع العربي، أنها كشفت أن حاجز الخوف لدى الشعوب العربية قابل للانكسار. ما الذي أفسح المجال لهذا الوعي الجديد؟ وماذا كان دور وسائل التواصل الاجتماعي في تعزيز الثورة؟
3. بعد فشل الربيع الأول في العديد من الدول، نرى نشأة ربيع ثانٍ بمطالب جديدة واستراتيجية مختلفة. ما الذي تعلمه الربيع الثاني من الأول؟! وهل أضاف إليه جديداً؟

الاستماع والحوار

اذهبوا الى الرابط التالي و ناقشوا المواضيع التي تطرق إليها الفيديو:

https://www.youtube.com/watch?v=1rJWortzMn8

UNIT 2: مخلفات الربيع العربي

«الربيع العربي» يتحول إلى خريف عاصف

بقلم: خالد الشامي. نشر بتاريخ 31 ديسمبر 2019

يمكن القول إن العقد الذي يرحل هو عقد الاحتجاجات الشعبية الواسعة، اعتراضًا على الفشل السياسي والاقتصادي في أغلب الأحيان، بدايةً من المنطقة العربية، ومرورا بدول أمريكا الجنوبية، ونهاية باحتجاجات لا تنتهي في إيران وهونج كونج، ولكن المحور الأساسي الذي يميز هذا العقد هو الثورات والاحتجاجات، التي اندلعت في عدد من الدول العربية، والتي أُطلق عليها بشكل عام «ثورات الربيع العربي»، وخلال عشر سنوات نجحت بعض هذه الثورات باللجوء إلى صناديق الانتخابات والاتجاه إلى مستقبل أفضل، بينما فشل بعضها الآخر بسبب العديد من الأسباب، منها التدخلات الخارجية ودخول الإسلام السياسي على الخط، بل تحوّل ربيعها إلى خريف مؤلم مشبع بالدم والنزوح واللجوء، لكن أبَى عام 2019 أن يرحل قبل إحداث تغيير جذري في كل من السودان والجزائر، استكمالًا لموجة عقد التغيير السياسي الكبير في المنطقة.

بدأت شرارة الاحتجاجات العربية في تونس، التي شهدت ثورة أطلق عليها «ثورة الحرية والكرامة» أو «ثورة الياسمين»، عندما انطلقت الاحتجاجات فيها في 14 ديسمبر عام 2010 تضامنًا مع الشاب محمد البوعزيزي، الذي قام بإضرام النار في جسده لإهانة شرطية له، وتوالت المظاهرات، التي أسقطت الرئيس زين العابدين بن على، ليرحل إلى المملكة العربية السعودية، التي شهدت أيضا وفاته في 19 سبتمبر الماضي، لكن تونس نجحت في تخطي الصعاب المتكررة منذ بداية الثورة، عندما تولى الوزير الأول محمد الغنوشي في 14 يناير عام 2010 رئاسة الجمهورية بصفة مؤقتة، ثم تولى رئيس مجلس النواب فؤاد المبزع منصب رئيس الجمهورية بشكل مؤقت، وبعدها تولى

المنصف المرزوقي رئاسة البلاد في 12 ديسمبر عام 2011، حتى إجراء الانتخابات الرئاسية التي نجح فيها الرئيس الراحل الباجي قايد السبسي في 22 ديسمبر عام 2014، ليرحل قبل إجراء الانتخابات الرئاسية، التي أجريت في سبتمبر 2019 وفاز فيها الرئيس الحالي قيس سعيد، الذي وعد بتحقيق مطالب الثورة، أثناء إحياء ذكراها في ساحة «الشهيد» محمد البوعزيزي، في مدينة سيدى بوزيد.

أما مصر، فقد مرت بمرحلتين فارقتين من مراحل الثورة، انطلقت شرارتها الأولى في 25 يناير عام 2011، ليزداد الزخم يوما بعد يوم مع اتساع رقعة المظاهرات والاحتجاجات التي تبلور هدفها الأساسي في إسقاط نظام مبارك، وبعد الأيام الأولى من المصادمات العنيفة تركزت الاحتجاجات في ميدان التحرير، الذي تحول وقتها لأيقونة عالمية، ومع الضغط المتوالي من مئات الآلاف سقط مبارك، معلنًا تنحيه عن السلطة في 11 فبراير من العام نفسه، بعد سقوط مئات الشهداء والمصابين، وكان العنصر الحاسم هو تأييد الجيش للمطالب الشعبية.

بعدها دخلت مصر مرحلة جديدة، أعقبتها تحولات سياسية وبزوغ أحزاب جديدة، وانتخابات برلمانية ورئاسية، أسفرت عن فوز الرئيس الأسبق المخلوع محمد مرسي، ولكن الأمور لم تستقر خاصة بعد محاولة تنظيم الإخوان - الذي ينتمى إليه مرسي - السيطرة على مفاصل الدولة في مصر وتغيير هويتها، ولم يستغرق الأمر أكثر من عام واحد قبل أن تخرج الملايين إلى الشوارع في موجة ثانية للثورة في 30 يونيو من عام 2013 للمطالبة برحيله، وجاء الرحيل بعد سقوط الكثير من الضحايا الأبرياء، ولكن مرة أخرى انحاز الجيش للإرادة الشعبية ليرحل مرسي والإخوان، إلا أن عناصرهم الإرهابية حاولت على مدار السنوات التالية إيقاف قاطرة المستقبل التي سلكتها مصر، وهى المحاولات التي فشلت في أغلبها.

بعد إزاحة نظام الإخوان، تولى الرئيس المؤقت عدلي منصور رئاسة البلاد، باعتباره رئيسًا للمحكمة الدستورية العليا، بسبب تعطيل العمل بالدستور ولعدم وجود برلمان، وبعدها تم انتخاب عبد الفتاح السيسي وزير الدفاع الأسبق رئيسا للبلاد، لتبدأ مصر مرحلة جديدة من الاستقرار بعد فترة من الارتباك والفوضى.

دخلت سوريا الدائرة، إلا أن «ربيع ثورتها» التي انطلقت في 2011 تحولت سريعا إلى حرب أهلية دامية تسببت في بحور من الدماء، ونزوح الملايين من السوريين ولجوئهم للكثير من دول العالم، حيث تحولت الثورة ضد النظام إلى صراع مسلح متعدد الأطراف، وظهر للمرة الأولى ما أطلق عليه مسمى «المعارضة المسلحة المعتدلة» وهو مصطلح لم يكن مألوفا من قبل، وساندت كل من روسيا وإيران وحزب الله اللبناني، وأطراف أخرى الرئيس السوري بشار الأسد في السر والعلن، فيما دعمت دول أخرى منها الولايات المتحدة الأمريكية وتركيا ودول عربية المعارضة المسلحة، ورغم مرور أكثر من تسع سنوات على بداية الانتفاضة، لا تزال سوريا حتى اليوم تعانى من ويلات تلك الحرب بالوكالة، خاصة في ظل ظهور ما يعرف باسم تنظيم الدولة الإسلامية «داعش»، ومع تفاقم المأساة الإنسانية في سوريا، شهد العالم عدداً من الجولات والمباحثات الدولية في عدة دول منها كازاخستان، لوضع حل لتلك الأزمة المستمرة، بينما تشير الأرقام إلى أن سوريا تحتاج اليوم لأكثر من 500 مليار دولار لإعادة إعمار تمدنها المنكوبة.

وفى اليمن، انطلقت ثورة ضد الرئيس على عبد الله صالح في 27 يناير عام 2011، ومع الضغوط الشعبية أعلن صالح عدم ترشحه للانتخابات الرئاسية أو توريث نجله أحمد، لكن المتظاهرين السلميين واجهوا رصاص قوات الأمن بصدورهم، أعقب ذلك انشقاقات عسكرية، انحازت للمحتجين، وفى الثالث من يونيو 2011، تعرض الرئيس اليمنى الراحل عبد الله صالح إلى محاولة اغتيال، نقل على أثرها إلى المملكة العربية السعودية لتلقي العلاج، وسرعان ما عاد إلى بلاده، لكنه بات يلعب على جميع الأطراف، فتارة يغازل دول الخليج وأخرى جماعة الحوثي، التي قتلته في 5 ديسمبر عام 2017.

وتحولت الثورة اليمنية من ربيع بالأمل في التغيير إلى ما يشبه الحرب الأهلية، يسعى بعض أطرافها إلى إحداث انفصال بين الشمال والجنوب اليمني، على الرغم من مباحثات عديدة لا تزال جارية، تشرف عليها الأمم المتحدة ومبعوثوها إلى اليمن، رغم التشكيك من قبل السلطات الشرعية الممثلة في حكومة الرئيس الحالي عبد ربه منصور، في عمل هؤلاء المبعوثين، في إشارةٍ منه إلى أن استمرار عملهم مرهون باستمرار الصراع اليمني. الثورة اليمينة التي انطلقت بأمل مستقبل أفضل، تحولت في نهاية المطاف إلى مأساة إنسانية كاملة.

وفى ليبيا، التي تأثرت بما يحدث على جانبيها في مصر وتونس، انطلقت ثورة شعبية في 15 فبراير عام 2011 للمطالبة بتنحي الرئيس السابق معمر القذافي، وخلال أيام قليلة ومع الوضع المعقد على الأرض وسطوة القبائل في مناطق نفوذها، انزلقت الثورة الليبية إلى الحالة الدموية والتي كان أبرز مشاهدها قتل القذافي على يد المتظاهرين، وشهدت ليبيا الكثير من الانقسامات وسقطت في حالة من عدم الاستقرار خاصة مع تدخل الكثير من القوى الخارجية في المشهد، بحثًا عن موطئ قدم في الدولة النفطية، وحتى اليوم وبعد مرور تسع سنوات على اندلاع الثورة على القذافي، لم تستقر ليبيا وأصبحت موزعة بين حكومة «السراج» التي يسيطر عليها الإسلام السياسي في الغرب، وبين المشير خليفة حفتر الذي يقود الجيش الوطني الليبي، ومؤخراً زاد اشتعال الساحة الليبية مع دخول تركيا على خط الأزمة بعد توقيع اتفاقية تعاون مع حكومة السراج، وهي الاتفاقية التي ترفضها العديد من الدول لأنها تزيد المشهد تعقيداً، وبينما تتصارع العديد من القوى على الأراضي الليبية، لا يجد المواطن الليبي من أحلام الثورة في مستقبل أفضل إلا السراب.

بعد هدوء موجات الثورة العربية في بداية العقد، شهد السودان ثورة أخرى سلمية ضد نظام الرئيس السابق عمر البشير، انطلقت في 13 ديسمبر عام 2018 احتجاجًا على الأسعار وظروف المعيشة، وعلى مدار شهور طويلة حاول البشير الحاكم القوى لمدة 30 شهراً إيقاف الاحتجاجات، لكنه لم ينجح، ليعلن الجيش السوداني تنحيه عن الحكم في 11 إبريل الماضي، بعد سقوط مئات الضحايا والمصابين، وأعقب ذلك مفاوضات لعدة أشهر بين المجلس العسكري الحاكم الانتقالي مع الثوار الممثلين في تجمع المهنيين وقوى الحرية، والتغيير إلى ما يسمى بالمجلس السيادي، يرأسه الفريق عبد الفتاح البرهان وحكومة رئيس الوزراء عبد الله حمدوك، لتدخل الخرطوم مرحلة انتقالية جديدة، تغيرت فيها علاقاتها بدول الجوار والولايات المتحدة الأمريكية، في ظل المطالب السودانية برفع اسم الخرطوم من قائمة الدول الراعية للإرهاب.

وأخيرا في الجزائر، التي نجحت في الوصول إلى سيناريو أشبه بتونس، فلم ترق نقطة دم واحدة عقب موجة الاحتجاجات الشعبية، التي انطلقت في 22 فبراير الماضي، وصولاً إلى تنحى الرئيس السابق عبد العزيز بوتفليقة في 2 إبريل الماضي، عقب إعلان ترشحه لفترة رئاسية خامسة، وهو ما أثار غضب الشارع الجزائري، بسبب الظروف الصحية لبوتفليقة، التي أقعدته سنوات على كرسي متحرك، قبل انتخابات الفترة الرئاسية الرابعة، حيث كان معروفا أن الحاكم الفعلي للبلاد هو شقيقه سعيد، الذي تم حبسه هو وعدد من كبار المسؤولين الجزائريين لاحقاً.

ولا تزال الجزائر تشهد موجات من التظاهر لنحو 45 جمعة على التوالي، للإطاحة برموز نظام بوتفليقة، في ظل احتجاجات كانت رافضة لإجراء الانتخابات الرئاسية، التي جرت في 12 ديسمبر وأسفرت عن فوز الرئيس عبد المجيد تبون، الذي مَنَح رئيس أركان الجيش الجزائري أحمد قايد صالح، وسام «الصدر» تقديرًا لدوره في المرحلة الانتقالية التي شهدتها الجزائر، قبل 5 أيام من وفاته، في جنازة شارك فيها مئات الآلاف من الجزائريين.

وقبل أن ينتهى العقد بشهور قليلة، شهد العراق موجات من التظاهرات الشعبية العارمة المطالبة بالتغيير في مطلع شهر أكتوبر الماضي، ولم يبرح المحتجون ساحات التظاهر، مما أجبر رئيس الوزراء عادل عبد المهدى، على الاستقالة، وكذلك الرئيس العراقي برهم صالح، بعد سقوط ما لا يقل عن 500 متظاهر وإصابة أكثر من 17 ألف محتج، تنديدًا بغلاء المعيشة والفساد وتقاسم كعكة السلطة واستمرار النظام الطائفي، مطالبين بعدم التدخل الإيراني في بلاد الرافدين، ومع انتهاء عام 2019، ينتظر أبناء العراق ما سيحدث من تغييرات في عام 2020، وهل سيكون امتدادا للعام الماضي؟ أم تغييراً جذرياً عما سبقه؟

المفردات

محور	axis
صناديق	boxes
مشبع	saturated/filled
جذري	radical
إحياء / إنعاش	revival
أيقونة	icon
قاطرة	engine/locomotive
مصطلح	term/expression
منكوبة	affected
نهاية المطاف	in conclusion
موجة	wave
كرسي متحرك	wheelchair

أسفر / نتج عنه	to result in
إطاحة	overthrow
غلاء الأسعار	rise in prices
كعكة	cake

صِلوا الكلمات التالية بمرادفتها:

مشبع		مُمتَلِئ
نزوح		مستهل
منصف		عادل
رحيل		مغادرة
مطلع		هجرة

المفردات

املأوا الفراغ بالكلمة المناسبة:

جنازة	تنازل	الارتباك	شرارة	لجوء
امتداد	رموز	صراع	بزوغ	إضرام

1. في الآونة الاخيرة يحاول السوريون الحصول على .... سياسي وأمني إلى كافة دول أوروبا.
2. استعمل المصريون القدماء الـ .... والنقوش الهيروغليفية في المعابد.
3. قام أحد الشباب بـ .... حريق في مخيم للاجئين في لبنان.
4. أعلن داروين في إحدى مقدماته الأساسية عند تطوير نظريّته: أن تطوّر الكائنات الحيّة يعتمد على الـ .... من أجل البقاء.
5. بدأت .... الحرب الأهلية اللبنانية في 13 أبريل 1975، عندما أقدم مجهولون على اغتيال اللبناني بيار الجميل.
6. .... الملك السعودي عن منصبه لابنه محمد بن سلمان.
7. أجرى الجيش المصري تدريبات على .... الحدود الغربية وساحل البحر المتوسط.
8. أفضل الأوقات للمشي بالنسبة لي هي عند .... الشمس، بسبب لطافة الجو وانخفاض درجات الحرارة.

9. أكد الضابط المغربي السابق في سلاح الجو مصطفى أديب أن الجيش المغربي يعيش في حالة من .... والتخبط.

10. تعتبر .... الزعيم المصري الراحل هي الأكبر في التاريخ الحديث، حيث احتشد فيها ما يزيد على 4 ملايين شخص.

أسئلة الفهم

ناقشوا الأسئلة التالية في مجموعات لا تزيد عن ثلاثة طلاب:

1. هل استطاعت تونس تخطي عقبة الانتفاضة والربيع العربي؟

2. ما هي التحديات والعقبات التي واجهت سوريا عقب الانتفاضة؟

3. "معمر القذافي" رئيس سابق لأي دولة؟ ماذا كان مصيره بعد الانتفاضة التي شهدتها البلاد؟

4. في أي بلد يعتبر تدخل الأمم المتحدة محوراً أساسياً في الإشراف على الأوضاع الداخلية؟

5. ما هو الاسم الذي يطلق على العراق؟

أسئلة المناقشة

ناقشوا الأسئلة التالية في مجموعات لا تزيد عن ثلاثة طلاب:

1. هل تحقيق الديمقراطية في البلدان العربية كاف لإرضاء مطالب الشعب؟ أم أن هناك أبعاداً أخرى لانتفاضة الربيع العربي؟

2. انتقلت عدوى انتفاضة الربيع العربي إلى العديد من الدول العربية، واختلفت النتائج من بلد لآخر، من هما الدولتان اللتان سبقتا في نزع رئيس حكومتهما؟

3. بنظرك، هل تعتبر انتفاضة تونس ناجحة؟

4. من ضمن جميع مطالب الربيع العربي، ما هما المطلبان المشتركان لجميع انتفاضات الدول العربية؟

الترجمة

ترجموا ما يلي إلى اللغة الإنجليزية:

بعد إزاحة نظام الإخوان، تولى الرئيس المؤقت عدلي منصور رئاسة البلاد، باعتباره رئيساً للمحكمة الدستورية العليا، بسبب تعطيل العمل بالدستور ولعدم وجود برلمان، وبعدها تم انتخاب عبد الفتاح السيسي وزير الدفاع الأسبق رئيساً للبلاد، لتبدأ مصر مرحلة جديدة من الاستقرار بعد فترة من الارتباك والفوضى.

الكتابة

اختاروا موضوعاً واحداً من المواضيع التالية و اكتبوا حوالي 150-200 كلمة:

1. الربيع العربي، هل هو انتفاضة الشعوب ضد القمع والتعسف؟ أم هو خطة محكمة من طرف قوى كبرى خفية من أجل الاستيلاء على ثروات هذه الدول؟ علّل جوابك في الحالتين.
2. هل يمكن لشخص واحد أن يقوم بتغيير العالم؟ إذا أجبت بنعم، فكيف يمكن حدوث ذلك؟ وكيف يمكن التحكم في العواقب ودراستها؟
3. ما هو الدور الذي لعبه إسقاط "معمر القذافي" في تفاقم أعداد اللاجئين في ليبيا؟

الاستماع والحوار

اذهبوا الى الرابط التالي و ناقشوا المواضيع التي تطرق إليها الفيديو:

https://www.youtube.com/watch?v=JgtF-auOAmI

UNIT 3: أسباب فشل الربيع العربي في سوريا

سوريا الاستثناء في الربيع العربي

بقلم: بهاء العوام. نشر بتاريخ 14 ابريل 2019

لم تعد أمام الأطراف الخارجية المتورطة في الأزمة السورية خيارات كثيرة، وبقاء سوريا استثناء في الربيع العربي سيتحول إلى لعنة تلاحق المجتمع الدولي للأبد.

منذ بداية الثورة السورية، التقت مصالح الأطراف الخارجية في الحفاظ على مؤسسات الدولة. ومن بين أسبابها، تأتي البدائل المشوهة التي قدمتها المعارضة لنظام بشار الأسد، ولكن أهمها تلك التي تتعلق بحساسية الموقع الاستراتيجي لسوريا، وتداعيات الفوضى فيها على المنطقة والجارة إسرائيل، التي يسهر على راحتها الأميركيون والأوروبيون والروس وقبلهم نظام الأسد.

حتى عام 2015 ، كان الإبقاء على الرئيس الأسد خياراً مفضلاًفي إطار البحث عن البديل المناسب للنظام وليس للشخص، بالإضافة إلى الحفاظ على الأجواء الإيجابية للحوار بين إيران والقوى الغربية حول الاتفاق النووي. ذلك الاتفاق الذي بذل من أجله الرئيس الأميركي السابق باراك أوباما كل غالٍ ونفيس، وضحى به خلفه دونالد ترامب برمشة عين وأبخس الأثمان.

لم يكن سهلاً بالنسبة للولايات المتحدة والأوروبيين أن يهدموا الدولة السورية، كما فعلوا في العراق وليبيا. نتائج ما فعلوه في هاتين الدولتين، لم يتم احتواؤها حتى الآن، والرئيس أوباما نأى بنفسه عن الصراع السوري لأسباب تتعلق بتوجهات السياسة الأميركية الخارجية حينها، وخوفاً من خلق فوضى، تُبقي الحليفة إسرائيل تحت تهديد مستمر على حدودها الشمالية.

قبل 2015 أيضاً، كان الكثير من قادة المعارضة السورية السياسية والعسكرية، منشغلين بمناصب الثورة والمتاجرة بالدم السوري. هؤلاء لم يرغبوا يوماً بانتهاء الحرب، ولم يحاولوا يوماً إجراء مقاربة واقعية لما يجري حولهم. جُل ما كان، ومازال يشغل بالهم هو حجم أرصدتهم في البنوك وظهورهم الإعلامي ودرجات الفنادق التي ينزلون فيها خلال المفاوضات مع النظام.

أولوية الحرب على الإرهاب، أبقت الأسد على رأس السلطة بين عامي 2015 و2018. كان لا بد من تأجيل رحيله بالنسبة لحلفاء دمشق، تجنباً لانهيار مؤسسة الجيش التي يختبئون خلفها في "حربهم على الإرهاب". كان يجب أن تبقى سوريا دولة ذات رئيس، لكي تواصل روسيا وإيران إدخال قواتهما وأسلحتهما إلى البلاد وتشييد القواعد العسكرية وتأسيس الموانئ والمطارات.

على الضفة المقابلة، فإن أولوية محاربة الإرهاب بالنسبة لخصوم دمشق منذ عام 2015، فرضتها بدائل المعارضة الرثة لنظام الأسد، حيث وصلت الأسلحة وأموال الدعم الخارجي إلى فصائل إسلامية متشددة، قامت على أنقاض ما كان يسمى بـ "الجيش الحر"، وحكمت مدناً ومناطق وبلدات سورية بمنطق ديني لا يقبل الآخر، ولا يعترف بالقوانين المدنية والعلمانية والليبرالية.

لم تصنع عائلة الأسد من سوريا دولة مدنية ولا علمانية بالمعنى الحقيقي، ولكن بدائل المعارضة في مناطقها تجسدت في مظاهر لم يعرفها السوريون من قبل، ففي مناطق النظام، لا أحد يُجلد لأنه لم يصلِّ. لا تُمنع النساء من التزين، ولا يجبرن على ارتداء المعاطف الطويلة السوداء أو الكحلية. لا يُخيّرُ غير المسلمين بين تغيير عقيدتهم أو دفع الجزية للمسلمين.

مع نهاية 2018، قضِي الأمر وانهار تنظيم داعش المتفق على إرهابه دولياً، أما من بقي يحمل السلاح، فهم إما أبطال من وجهة نظر خصوم دمشق، وإرهابيون بعين الأسد وحلفائه مثل جبهة النصرة، وإما العكس، عندما نتحدث عن الميليشيات الإيرانية التي تدعم ما تبقى من الجيش السوري، أو فئة ثالثة هي محط خلاف في "إرهابها" بين الطرفين كالقوات الكردية في شمال سوريا.

اليوم، وبعدما وضعت الحرب على الإرهاب أوزارها في سوريا، لم يعد هناك عدو مشترك يحاربه المحتلون الأربعة ويمررون مصالحهم من خلاله. رسمت الولايات المتحدة المحددات العامة لمستقبل البلاد، وبات على الجميع حماية مكتسباتهم في ظل هذه المحددات. تغيرت التحالفات وتبدلت الأولويات لدى الجميع، ولكن لم تتحقق أي اختراقات في الأزمة المعقدة.

لن تكون دمشق ولاية إيرانية، هو المحدد الأول في رؤية الإدارة الأميركية الحالية لسوريا. بعدها يأتي منع الاحتكاك بين الأكراد والأتراك، ثم تعميم اللامركزية الإدارية وصون وحدة البلاد. حماية الأقليات عبر دستور دولة مدنية. الاعتراف بمصالح الروس

مقابل أمن إسرائيل. شطب أي دور لعائلة الأسد في مستقبل البلاد. وأخيراً تأتي إعادة الإعمار وعودة اللاجئين.

ربما يراهن الإيرانيون والأتراك على تغير المحددات الأميركية مع نهاية ولاية الرئيس دونالد ترامب. تحترف طهران وأنقرة شراء الوقت والرهان على الزمن، ولكن اتفاقاً ما بين واشنطن وموسكو برعاية تل أبيب، قد يضع المحددات حيز التنفيذ بسرعة، وبين ليلة وضحاها ربما يجد العالم نفسه أمام مجلس عسكري مؤقت يقود سوريا، كما حدث في السودان أو الجزائر.

في الحقيقة لم يعد تأجيل إزاحة عائلة الأسد عن السلطة ينطوي على أي مبرر، سواء من جانب خصوم دمشق أو حلفائها. بعبارة أخرى يمكن القول، إن الروس والإيرانيين بدأوا اللعب بـ"الملك" على رقعة الأزمة السورية. حان وقت التفاوض على رأس النظام، ولم يعد في جعبة الأسد الكثير ليقدمه سواء للمحتلين الأربعة، أو حتى لإسرائيل التي لطالما كانت له الكفيل وصمام الأمان.

لم يكن استدعاء الأسد إلى طهران وجلوسه مع علي خامنئي أمام العلم الإيراني وحده، إلا إيذانا بفتح المزاد على رأس الأسد، فالمهام التي كُلف بها تفوق طاقته، وتضعه في مواجهة الروس والأميركيين والإسرائيليين والأتراك على حد السواء. أما لعبة الرقص على رؤوس الثعابين التي يمارسها اليوم، فله في مؤسسها الرئيس اليمني السابق علي عبد الله صالح موعظة في نهاياتها الوخيمة.

حلفاء الأسد بدأوا بتسمينه للتضحية به، ربما يفضل الإيرانيون أن يقدموه قربانَ مصالحة مع الأميركيين، ولكن لا يبدو أن الرئيس ترامب مهتم حاليا بالمصالحة مع إيران أو راغب بتذوق لحم الأسد. أما بالنسبة للروس فمن دعاهم للقدوم إلى سوريا بعتادهم وعديدهم انتهت صلاحيته، ولن يبقى مضيفهم إلى الأبد، خاصة بعدما أسكن الإيرانيين إلى جوارهم على ساحل المتوسط.

بلغة البديهيات، لن تكون هناك مصالحة وطنية حقيقية في سوريا طالما بقيت عائلة الأسد على رأس السلطة. ليس منطقيا أن يكون الأسد بين مرشحي أي انتخابات رئاسية مقبلة. ليس إنسانياً أن يعود اللاجئون ليهتف أولادهم مجددا باسم الأسد في المدارس. ليس عدلاً أن تُحكم البلاد بالأسد مرة ثانية، ويعود أعضاء مجلس الشعب لتقبيل نعله، كلما تفوه بترهات أمامهم.

يدرك السوريون والعالم أن إزالة النظام السوري على غرار اليمن وليبيا ومصر وتونس لن يقوم بها خصوم دمشق، ولكن التضحية بأشخاص قلائل كنافذة أمام رياح التغيير كما في السودان والجزائر ليست مطلباً مستحيلاً لم تعد أمام الأطراف الخارجية المتورطة في هذه الأزمة خيارات كثيرة، وبقاء سوريا استثناء في الربيع العربي، سيتحول إلى لعنة تلاحق المجتمع الدولي للأبد.

المفردات

alternatives	البدائل
distorted	المشوهة
tear down	يهدم

نفيس	precious
رمشة عين	the blink of an eye
أبخس / أرخص	cheaper
الإرهاب	terrorism
الجزية	tax
جبهة	front
كفيل / راعي	sponsor
استدعاء	summon
عتاد	equipment
بديهي / منطقي	commonsensical
يهتف	cheer
نعل	slipper
لعنة	curse

صِلوا الكلمات التالية بمرادفتها:

استثناء		تخريب
فوضى		تحليل
هدم		سوى
مقاربة		منوال
غرار		معمعة

المفردات

املأوا الفراغ بالكلمة المناسبة:

نعل	مزاد	الجلد	تهديد	خيار
لعنة	رؤوس	مخلفات	الخصوم	حساسية

1. يحاول بعض العلماء معرفة لماذا ترتفع معدلات الإصابة بـ .... الطعام حول العالم؟
2. ليس لدي أي .... آخر.
3. كلمة .... هي كلمة مرادفة لحذاء.

4. قال صندوق النقد الدولي يوم الجمعة، إنّ بنوك منطقة اليورو تملك .... أموالٍ كافية لتجاوز تأثير جائحة كوفيد.
5. مبنى الكابيتول في الولايات المتحدة في وضع الإغلاق بسبب وجود .... أمني.
6. هل تظن أن أحدا ينوي إيذائك؟ هل لديك الكثير من........؟
7. تشير .... الفراعنة إلى الاعتقاد بأن أي شخص يزعج مومياء شخص مصري قديم يصبح ملعوناً.
8. قال الرئيس الأمريكي: إنّ ما تجلبه الحرب من .... على صحة الأطفال الجسدية و العقلية أمر غير مقبول.
9. أفادت تقارير واردة من السعودية بأن السلطات ألغت عقوبة ....، وفقاً لوثيقة قانونية صدرت حديثاً.
10. سأذهب إلى .... علني لأشتري سيارة لوالدي. سمعت أن الأسعار هناك معقولة.

أسئلة الفهم

ناقشوا *الأسئلة التالية* في مجموعات لا تزيد عن ثلاثة طلاب:

1. ما هو السبب الرئيسي وراء تدخل العديد من الدول الأجنبية في الشؤون الداخلية السورية؟
2. لماذا لم يستطع قادة المعارضة السورية أن يغيروا الوضع المزري في سوريا؟
3. ما الحدث الذي ميز نهاية سنة 2018؟
4. "لم يعد في جعبة الأسد الكثير ليقدمه سواء للمحتلين الأربعة". من هم المحتلون الأربعة؟
5. ما هو الشرط الأساسي لتحقيق مصالحة وطنية حقيقية في سوريا؟

أسئلة المناقشة

ناقشوا *الأسئلة التالية* في مجموعات لا تزيد عن ثلاثة طلاب:

1. كيف تصاعدت الأمور في سوريا من تظاهرات سلمية إلى حرب أهلية؟
2. كيف تعتبر الخسائر البشرية في سوريا؟
3. في رأيك، ما هو السبب الذي جعل نظام الأسد يوافق على تدمير أسلحته الكيماوية؟
4. ما هو تأثير الأوضاع الفوضوية في سوريا على البلدان المجاورة؟

الترجمة

ترجموا ما يلي *إلى اللغة الإنجليزية*:

لم يكن سهلًابالنسبة للولايات المتحدة والأوروبيين أن يهدموا الدولة السورية، كما فعلوا في العراق وليبيا. نتائج ما فعلوه في هاتين الدولتين، لم يتم احتواؤها حتى الآن، والرئيس أوباما نأى بنفسه عن الصراع السوري، لأسباب تتعلق بتوجهات السياسة الأميركية

الخارجية حينها، وخوفاً من خلق فوضى، تُبقي الحليفة إسرائيل تحت تهديد مستمر على حدودها الشمالية.

الكتابة

اختاروا موضوعاً واحداً من المواضيع التالية و اكتبوا حوالي 150-200 كلمة:

1. الوضع السوري يزيد ازدراءً عاماً بعد عام. هل يمكن إيجاد حل للحد من الصراعات الداخلية؟ ومن هي الأطراف التي يجب أن تتدخل لإعادة السلام للبلاد؟
2. عدّد الأطراف المساندة والمعارضة لنظام الأسد، مبيناً دور كل طرف ونتائج تدخله.
3. كيف هي الحياة في سوريا بعد سنوات من الحروب والمعاناة؟ ما هي الخيارات والحلول التي تبقّت للمواطنين من أجل فرصة في العيش الكريم؟

الاستماع والحوار

اذهبوا الى الرابط التالي و ناقشوا المواضيع التي تطرق إليها الفيديو:

https://www.youtube.com/watch?v=EDv6yDrMfr4

9

ART
الفن

فن النحت في العالم العربي :UNIT 1

الفنان المغربي محمد غزولة يبصم بقوة النحت في العالم العربي

بقلم: نادية بولعيش. نُشر بتاريخ 25 يناير 2020

تزخر الصحافة العربية بالمقالات النقدية حول الفن التشكيلي، وطاغية هي المقالات حول الإبداع التصويري الزيتي والمائي، وكم هي قليلة المقالات حول النحت، بسبب العدد القليل للفنانين من النحاتين في العالم العربي، شأنهم شأن حقول إبداعية أخرى، لم تسجل قفزتها النوعية بعد، مثل كتاب الخيال العلمي مقارنة مع الرواية الواقعية. ومرد هذا إلى الشروط الصعبة لممارسة النحت مقارنة مع باقي الفنون التشكيلية الأخرى.
وهو ما يجعل مدرسة النحت عربيا وقطريا تبدو أنها ما زالت في مرحلتها الجنينية، ولم تكتمل شخصيتها الفنية بعد وتحتاج إلى مراحل للتطور الفني للحديث عن مدارس عربية في النحت مستقبلًا

ورغم هذه الندرة الفنية للنحت في العالم العربي، تبرز أسماء وتفرض أسلوبها واسمها في مواجهة للتيار، ومنها الفنان النحات المغربي محمد غزولة، الذي يحفر اسمه في عالم النحت المغربي والعربي، ويجتهد في إرساء بصمات خاصة به تجعله من رواد هذا الفن ومرجعا ضمن مراجع أخرى، لمعرفة تطور النحت العربي.

والمعرض النوعي الأخير "تراكيب فنية معدنية" لهذا الفنان في قاعة "المكي مغارة" في مدينة تطوان في الشمال المغربي، عاصمة الإبداع التشكيلي في المغرب، دال على مستوى الرقي الإبداعي الذي بلغه بعد أكثر من ثلاثين سنة من الممارسة. وأعماله التي عرضها في هذا الميعاد الفني، بأحجام مختلفة ومتنوعة وقاسمها الرقص والموسيقى، هي شهادة حية في هذا الشأن.

DOI: 10.4324/9781003193234-10

تطويع المواد

وإذا كان الفنان يقبض عبر اللون على تفاصيل اللوحة التي يوظفها في خطابه الفني الموجه للمتلقي، ينفرد محمد غزولة بتطويع مرن للمواد التي يعمل عليها من بقايا الحديد والأسلاك والمسامير والدواليب وأجزاء السيارات، تساعده في صياغة رؤيته الفنية للموضوع الذي يعمل عليه، جاعلًامن القطع المنحوتة لوحات تشكيلية ذات أبعاد ثلاثية ملموسة بعمقها وحجمها، قائمةً على التجريب الذي يراه غزولة أساس التطور في مجال النحت التركيبي.

منحوتة "عازف الكمان" ذات المقاييس الطبيعية لفنان يعزف على هذه الآلة الموسيقية، توحي للمتلقي عندما يتأملها أنه يسمع ألحانا تعزف، خاصةً عندما تتزامن زيارة المعرض في وقت تناسب موسيقى كلاسيكية هادئة في قاعة العرض. وإلى جانب هذه القطعة، أخرى لفتاة ترقص الباليه، ويخيل للناظر أنها في حركة رقص مسترسلة في الزمن، بفضل لحظة القبض على التفاصيل الدقيقة للحركة أكثر من تفاصيل الجسم. وتظهر قطعة فنية أخرى "عازف الساكسو"، وقطعة تجسد المايسترو على طريقة تقنية جياكوميتي. وإذا كانت أعمال جياكوميتي تدل على تفاهة الحياة في القرن العشرين، يحدُث العكس في حال أعمال غزولة، فهنا قطعة المايسترو يفيض شاعرية بالهيئة التي اختارها له، وكأنه أتى به للتو من قاعة للموسيقى الكلاسيكية إلى قاعة العرض الفني، ليتحكم في باقي الشخصيات النحتية المحتلة لفضاء قاعة المعرض، التي تبدو كأنها تحولت إلى مسرح يحتضن السيمفونية.

وعرض غزولة ثلاثين قطعة نحتية، من عازفين على أدوات مختلفة وراقصين وراقصات في حركات مختلفة ومن ثقافات متنوعة، وكأنها الشعوب تنصهر في عمل موسيقي مشترك من أجل الفن والحياة. القيمة الفنية للمعرض مضاعفة، فنحن أمام قطع نحتية رائعة تقدم فن الموسيقى لمجموعة تعزف معزوفة الحياة بتجرد من الإيديولوجيا، وبمنسوب عالٍ من القيم الإنسانية الممزوجة بجمالية ذات بعد رمزي قوي.

وعندما تسأل غزولة عن الخطاب الفني لأعماله النحتية، يحيلك على استخلاص ما تعتقده في منحوتاته. وكباقي الفنانين المتحررين من ثقل الأيديولوجية، يقول إنها متعددة الخطابات ارتباطاً برؤية المتلقي وتكوينه الثقافي، بل وحتى معتقداته في بعض الأحيان. ويسترسل "مثل باقي الفنانين، أعتقد في خطاب معين وأعتقد في تقنية معينة، وأقول عن أعمالي الفنية بأنها تميل إلى التجريدي أو التجريدي التشخيصي" وتجد ناقداً يقدم رؤية مختلفة، والطريف أنه عندما ترى في مواقع في الإنترنت تقييما يختلف عما تعتقده بما في ذلك تعليقات الجمهور الرقمي. وبالتالي يؤمن غزولة بالفكرة السائدة وسط الفنانين، وهي اعتقادهم أن إبداعاتهم هي خطابات مفتوحة لا تحتاج إلى شروحات توجيهية من طرف الفنان، بل تبقي للمتلقي رؤيته الخاصة وتحديد الخطاب الذي يعتقد أن العمل الفني يقدمه.

الطابع التركيبي

وتبرز الأعمال المعروضة المتناسقة والمتكاملة في مجملها أن غزولة لا ينساق وراء الأشكال التي تتخذها المادة الحديدية خلال النحت، بل يتحكم في حلقات المسلسل

الإبداعي، عبر تصور فني مسبق ودقيق نسبياً، وعبر تقنية التلحيم والكي والصقل واستعمال الطبقات التركيبية المتناسقة، وهي العملية الأصعب، نظراً للطابع التركيبي في القطعة الواحدة بهدف إبراز التفاصيل، وهي مرحلة متقدمة أو عليا يصل إليها النحات عبر المثابرة والممارسة الطويلة. والتفاصيل هنا مختلفة عن المفهوم الكلاسيكي للنحت القديم القائم على الحفر في القطعة الواحدة، مما جعله لمدة طويلة نسخة من الواقع، وهو ما دفع بالأديب الفرنسي الكبير بودلير إلى وصف النحت الكلاسيكي بالفن الممل، بل في عمل غزولة التفاصيل تخضع لعمل إبداعي أقرب إلى مفهوم المدرسة الانطباعية التشكيلية والتجريدية، لخدمة العمل الفني بعيدا عن "الروتين الفني للنحت الواقعي".

وبعد سنوات طويلة من العمل الدؤوب، ومنذ تخرجه من مدرسة الفنون الجميلة في تطوان سنة 1988، يكون محمد غزولة قد حقق من خلال هذا المعرض "تراكيب فنية معدنية" القفزة النوعية في أعماله التي يعتقد كل فنان في بلوغها، ونجح في مسعاه ومساره الفني رغم الصعوبات والتحديات سواء الموضوعية أو الذاتية، لكنها تتلخص في غياب أو ضعف شروط الممارسة المناسبة لفن النحت. فعكس الفنان التصويري أو الرسام، يحتاج الفنان إلى فضاء واسع للعمل، وتوفير الأدوات والآلات وارتفاع تكلفة المواد الخام. ويواجه النحات عقبة أخرى خلال العرض وهي افتقار الكثير من القاعات الفنية لشروط العمل النحتي، عكس اللوحات الفنية. ويكفي أن قاعات وبعضها في المغرب لم يسبق لها عرض أعمال النحت، فهي تقصر الفنون التشكيلية على اللوحات فقط. وهناك عقبة أخرى تواجد تطور الفن، وهي غياب نقاد يكتبون عن النحت، فأغلبهم يفضل الكتابة عن اللوحات التشكيلية، وبدون نقد، الذي يلعب دور التوجيه، يصعب تطوير أي حقل فني بل حتى معرفي.

سيمفونية النحت، مجموع القطع الفنية التي عرضها محمد غزولة في قاعة "المكي مغارة" في تطوان، تُبوؤه مكانة بين كبار النحاتين في العالم العربي، بل وعلى المستوى الدولي، فقطعة عازف الكمان برقيها الجمالي، لا تقل إبداعا عن تلك الموقعة من طرف كبار النحاتين ومعروضة في جاليريهات مدن عالمية.

لكن الفنان في العالم العربي، وخاصة في دول مثل شمال افريقيا يحتاج إلى تأشيرات متعددة، لكي ينقل أعماله إلى أوروبا، وهو أمر لا يتأتى للجميع في غياب مؤسسات ثقافية ترعى الفن - ومنه النحت - وتسهر على توفير شروط الإبداع.

المفردات

تزخر / تفيض	abound/overflow
طاغية	dominant
النحت	carving/sculpturing
المرحلة الجنينية	fetus phase
إرساء	fixing/settling/consolidating
تطويع	adapting

wheels	الدواليب
melts	تنصهر
level/standard	منسوب / معدل
give in to/hand in to	يحيل
welding	التلحيم / اللحام
refinement	الصقل
perseverance	المثابرة
abstraction	التجريدية
be carried away/drift	ينساق
acknowledge/admit/confess	تبوء / تعترف

صِلوا الكلمات التالية بمرادفتها:

مزاولة		طاغ
عائق		ممارسة
قياس		حجم
عات		تفاهة
سخافة		عقبة

المفردات

املأوا الفراغ بالكلمة المناسبة:

إرساء	ميعاد	الفضاء	قاسم	مفهوم
أحجام	شاعرية	معزوفة	طابع	تأشيرة

1. هل قام منظوا جائزة نوبل بإعلان .... استلام الجوائز للسنة القادمة؟
2. تستعد السعودية لإطلاق القمر الصناعي "شاهين سات" إلى ....
3. لقد شكل .... الحرية أهم المباحث التي شغلت مفكري عصر النهضة، كأداة لبناء آليات المقاومة للاستبداد والقمع.
4. .... قيم العدالة الاجتماعية من المعايير الأساسية و المهمة التي تقاس به المجتمعات المتقدمة.
5. ليس بيننا أي .... مشترك، لذلك علينا الانفصال.
6. قرأنا قصة ذات .... رومانسي.

7. ضوء القمر هي .... لبيتهوفن.
8. قررت وزارة الداخلية المصرية تحصيل رسم .... الدخول إلى مصر من جميع الدول العربية.
9. أنا بحاجة الى بحث يناقش .... الصورة في الفيلم السينمائي.
10. قامت شركة مايكروسوفت بتطوير تطبيق يساعد في قياس .... المجسمات ثلاثية الأبعاد.

أسئلة الفهم

ناقشوا الأسئلة التالية في مجموعات لا تزيد عن ثلاثة طلاب:

1. ما الذي يعرقل تطور وازدهار فن النحت في البلدان العربية؟
2. ما هي عاصمة الإبداع التشكيلي في المغرب؟
3. ما الذي يميز أعمال النحات المغربي "غزولة" عن باقي النحاتين؟
4. ما هي العقبات التي يواجهها النحات المغربي غزولة عند سعيه لعرض منحوتاته؟
5. ما هي الأسباب التي تدخل حاجزاً بين النحات المغربي ونشر أعماله في أوروبا؟

أسئلة المناقشة

ناقشوا الأسئلة التالية في مجموعات لا تزيد عن ثلاثة طلاب:

1. ما هي المواد التي غالباً ما تستعمل في صنع المنحوتات؟
2. هل يساهم فن النحت إيجاباً في تنمية الحس الفني في المجتمع؟
3. هل يتغير رأيك في العمل الفني كلما أطلت النظر إليه؟
4. إذا سنحت لك الفرصة للعيش خلال حركة فنية مختلفة عن التي نعيشها الآن، فأي حركة ستختار؟

الترجمة

ترجموا ما يلي إلى اللغة الإنجليزية:

سيمفونية النحت، مجموع القطع الفنية التي عرضها محمد غزولة في قاعة "المكي مغارة" في تطوان، تُبوؤه مكانة بين كبار النحاتين في العالم العربي، بل وعلى المستوى الدولي، فقطعة عازف الكمان برقيها الجمالي لا تقل إبداعاً عن تلك الموقعة من طرف كبار النحاتين ومعروضة في جاليريهات مدن عالمية.

الكتابة

اختاروا موضوعاً واحداً من المواضيع التالية و اكتبوا حوالي 150-200 كلمة:

1. كيف يمكنك تعريف فن النحت؟ وما الذي يميزه عن باقي الفنون؟

2. إذا أعطيت فرصة لعمل منحوتة ما، ما هي المواد التي ستستعمل؟ وكيف تتصور أن تكون النتيجة؟ وما هي الرسالة التي تود أن تنبعث منها؟
3. هل سبق أن زرت معرضاً لأعمال النحت؟ كيف كانت تجربتك؟ وما الذي يميزه عن العروض الفنية الأخرى؟

الاستماع والحوار

اذهبوا الى الرابط التالي و ناقشوا المواضيع التي تطرق إليها الفيديو:

https://www.youtube.com/watch?v=zhLSJKn2U4Q

UNIT 2: الشارقة حاضنة الفن العربي

إمارة الشارقة الخليجية تسلّط الأضواء على مواهب الفن العربية

المصدر: وكالة الصحافة الفرنسية أ ف ب. نشر بتاريخ 03 نوفمبر 2020

لا تملك إمارة الشارقة ترف دبي أو مشاريع أبو ظبي الضخمة، لكنها ترسّخ نفسها شيئا فشيئا كعاصمة ثقافية لدولة الإمارات، ملقية الضوء على المواهب المنسية في العالم العربي.

وفي متحف الشارقة للفنون، إحدى الإمارات السبع التي تشكّل هذه الدولة الخليجية الثرية، تصوّر الأعمال المعروضة جمال المنطقة العربية ومآسيها.

من بينها لوحة كبيرة للفنان الفلسطيني بشير السنوار، تظهر جثثاً مشوهة لرجال ونساء قُتلوا في مخيمي صبرا وشاتيلا للاجئين الفلسطينيين في لبنان عام 1982، وأخرى للفنان التشكيلي اليمني عبد الله الأمين، تُصوّر حياة يومية سعيدة في المدينة القديمة في صنعاء.

وفي أحد ممرات الصرح الثقافي الذي يطغى عليه الطراز التقليدي، يتحدث سلطان القاسمي بفخر عن مؤسسة بارجيل للفنون، المبادرة التي أطلقها سنة 2010، بهدف إبراز الفن العربي الحديث والمعاصر والمحافظة عليه، وهي تضم أكثر من ألف عمل.

وقال الإماراتي المتحدر من العائلة الحاكمة في الشارقة والمتخصص بمجال الفنون "نحن هنا لكي نعطي (. . .) خدمة فنية للعالم العربي"، مضيفاً "الشارقة ليست أغنى إمارة في الخليج اقتصادياً، لكنها الأغنى ثقافياً".

وكانت دولة الإمارات استثمرت بشكل كبير في القطاع الثقافي، في إطار مشاريع ضخمة مثل متحف اللوفر أبو ظبي، الفرع الخارجي الوحيد للمؤسسة الفرنسية الأم، أو في تنظيم معرض إكسبو الدولي في دُبي السنة المقبلة.

لكن رغم ذلك، عملت الشارقة على ترسيخ مكانتها كعاصمة ثقافية للدولة، من خلال معارض الكتب والمتاحف وبينالي الفن المعاصر والتصوير الفوتوغرافي والمسرح والشعر، وحتى مهرجانات الخط.

واختارت منظمة الأمم المتحدة للتربية والعلم والثقافة (يونسكو) الشارقة عاصمة للثقافة العربية في عام 1998، وعاصمة عالمية للكتاب في عام 2019، تحت شعار جعل القراءة متاحة للجميع.

- إبراز الأعمال المحلية -

ولد شغف سلطان القاسمي بالفن العربي، بعدما رأى عشرات الزوار يتدافعون لمشاهدة لوحة لفان جوخ في متحف أورسيه في باريس.

وذكر لوكالة فرانس برس "قلت في نفسي، أنه يوما ما سأرى مثل هذا الطابور أمام (لوحات) أفضل الفنانين العرب".

ويرى القاسمي، الذي يشارك شغفه بالفن مع آلاف من متابعيه على "تويتر" و"إنستغرام"، أنّ العالم العربي غني بالفنون، لا ينبغي عليك أن تكتفي بمعرفتك بالفنان بيكاسو او بالفنان دالي وغيرهم، لكن هذا للأسف ما يتجاهله كثير من الشباب العرب.

وأضاف "ينبغي علينا أن نتصدّى للمد الغربي والنظرة الاستشراقية للعالم العربي. يتوجّب علينا أن نطّلع على الفن المحلي ونعرف الفنانين العرب، قبل أن نعرف بيكاسو أو دالي".

وتؤدي منال عطايا، المديرة العامة لـ"هيئة الشارقة للمتاحف"، دوراً هاما في هذه الاستراتيجية التي وضعها حاكم الإمارة الشيخ سلطان بن محمد القاسمي، المؤرخ المعروف بشغفه الفني.

وتحرص المسؤولة الإماراتية على إبراز أعمال لفنانين من أنحاء العالم كافة، لكنّها تعتبر أنّ "الفنانين العرب بشكل عام لم يحظوا بالتمثيل بالملائم".

وتابعت متحدّثة لوكالة فرانس برس "سيكون من السهل جداً الاستمرار في دعم الفنانين الأوروبيين، لكن فنانينا هنا هم من يحتاجون إلى دعمنا هذا، وإلى هذه الموارد وإلى هذه الثقة".

" تحدي الحرية "

في الاستديو الخاص بها، المطل على متحف الشارقة للفنون، المحاط بالمباني الصغيرة الملونة والقديمة، تعبّر الفنانة التشكيلية موزة المطروشي عن رضاها على العمل من الشارقة.

وتعيش النحاتة الشابة المتحدّرة من إمارة عجمان المجاورة في شمال غرب الامارات، بين لندن حيث درست الفنون الجميلة، والشارقة حيث تقول إنها تعمل ضمن بيئة مريحة "أكثر من الاماكن الأخرى في الامارات".

وتقول لوكالة فرانس برس: "عملت في دبي وشعرت أن الفن هناك يركّز على الجوانب التجارية، وما أقوم به هنا ليس تجارياً كثيراً".

وغالبا ما تركّز الأعمال التي تقوم بنحتها أو تصويرها على الطعام اليومي، وتقاليد الطهي التي تعتبرها غنية بالرموز.

ورغم انتشار بعض ناطحات السحاب في وسط الإمارة، فقد حافظت الشارقة على مبانيها القديمة وأزقتها التي تقول المطروشي إنّها تشكّل مصدر إلهام لها.

لكن في منطقة تهيمن عليها المجتمعات المحافظة والأنظمة السياسية غير المنفتحة على حرية التعبير بشكل خاص، يخشى الفنانون الرقابة وخطر الملاحقة القانونية.

وتشير المطروشي إلى أن "الفنانين الغربيين يستطيعون عرض أفكار لا نستطيع نحن أن نتطرّق إليها، ليس لأننا نعارضها، بل جراء خشية نشعر بها".

وترى أنّ "التحدي" هو في ابتكار طرق جديدة لإيصال رسالة، عندما لا يمكننا قول كل ما نريد".

المفردات:

ترف / بذخ	extravagance/opulence/lavishness
رسّخ	to establish/to entrench or secure
مشوهة	deformed/defaced/disfigured
شغف / اهتمام	fondness/interest/passion/love
الطابور / الصف	file/line/queue
الاستشراقية	orientalist
المؤرخ	the historian
المطل	overlooking
المتحدّر	descending
الرموز	symbols
ناطحات السحاب	skyscrapers
أزقة	alleys
الرقابة / الإشراف	oversight/superintendence/supervision
الملاحقة القانونية	legal prosecution/censorship
خشية / خوفاً من	apprehension/fearing

صِلوا الكلمات التالية بمرادفتها:

مآسي		توسيع
طراز		أحزان
تنظيم		صنف
شغف		ولع
مد		تنسيق

المفردات

املأوا الفراغ بالكلمة المناسبة:

الموارد	ضخامة	مهرجان	تدافع	الثروات
تخصص	ترسيخ	شعار	ملائم	أزقة

1. ما .... الدولة في المملكة العربية السعودية؟ وما هي رمزيته؟
2. شهد حفل .... القاهرة السينمائي تألق عدد من المشاهير، حيث ظهر عدد من النجوم بإطلالات غريبة وغير تقليدية.
3. تعج الدول العربية ب........ الطبيعية والمعدنية، ولكنها حتى الآن غير مستغلة بالدرجة التي تجعلها أحد مصادر الدخل القومي.
4. .... الشعب اللبناني على البنك لسحب أموالهم.
5. أين يمكننا الإبلاغ عن رسائل أو محتوى غير .... أو مخاوف متعلقة بالأمان؟
6. ما يميز حيوان الفيل هو .... حجمه وطول خرطومه.
7. ألقى إمام المسجد خطبة لـ .... العقيدة في النفوس.
8. يعد الكاتب المصري نجيب محفوظ من أفضل من وصف .... وشوارع القاهرة.
9. قالت الحكومة الأمريكية إنّها سـ .... ميزانية لمكافحة آفة المخدرات.
10. تعرف .... البشرية بأنها فرع رئيسي للإدارة العامة، فهي المسؤولة عن إدارة القوى العاملة أو ما يعرف بإدارة شؤون الموظفين.

أسئلة الفهم

ناقشوا الأسئلة التالية في مجموعات لا تزيد عن ثلاثة طلاب:

1. من هو سلطان القاسمي؟ وكيف وصف مدينة الشارقة؟
2. ما الحدث الذي أثار شغف سلطان القاسمي بالفن العربي؟
3. كيف يحاول سلطان القاسمي تغيير نظرة الشباب فيما يخص الفن العربي؟
4. ما هو الفرق بين الفن في مدينة الشارقة ودبي، حسب أقوال الفنانة التشكيلية موزة المطروشي؟
5. ما هو التحدي الذي يواجهه الفنانون في الإسارات؟

أسئلة المناقشة

ناقشوا الأسئلة التالية في مجموعات لا تزيد عن ثلاثة طلاب:

1. بنظرك، ما هي أسباب التراجع في تنمية الخيال المبدع لدى المواطن العربي؟
2. إذا كان بإمكانك تغيير جانب واحد من جوانب مجتمعنا من خلال عمل فني، فماذا ستختار؟
3. ما هو برأيك تأثير التجارة والإعلام على الأعمال الفنية العربية؟

4. هل زرت يوماً معرضاً فنياً أو تأملت في قطعة فنية أعطتك منظوراً جديداً للحياة؟ متى، وأين وكيف ذلك؟

الترجمة

ترجموا ما يلي إلى اللغة الإنجليزية:

ويرى القاسمي، الذي يشارك شغفه بالفن مع آلاف من متابعيه على "تويتر" و"إنستغرام"، أنّ العالم العربي غني بالفنون. لا ينبغي عليك أن تكتفي بمعرفتك بالفنان بيكاسو أو بالفنان دالي وغيرهم، لكن هذا للأسف ما يتجاهله كثير من الشباب العرب.

وأضاف "ينبغي علينا أن نتصدّى للمد الغربي والنظرة الاستشراقية للعالم العربي. يتوجّب علينا أن نطّلع على الفن المحلي ونعرف الفنانين العرب، قبل أن نعرف بيكاسو أو دالي".

الكتابة

اختاروا موضوعاً واحداً من المواضيع التالية و اكتبوا حوالي 150-200 كلمة:

1. هل تعتبر نفسك مبدعاً؟ هل تعتقد أن إدراكك وتقييمك لمساعيك الإبداعية يتأثران بآراء الآخرين؟ ما هو الدور الذي تعتقد أن الثقافة التي تعيش فيها تلعبه في جهودك الإبداعية؟
2. إذا كان بإمكانك مقابلة فنان مبدع - في الماضي أو الحاضر - فمن سيكون هذا الشخص؟ وما سبب اختيارك له/لها؟ يرجى توضيح اختيارك ومضمون المقابلة.
3. هل تعتقد أن الإبداع ينطوي على وضع قلبك وروحك في عملك الفني؟ أم أنه أشبه بالسماح لعقلك بالتدفق بحرية فتصبح شاهداً على نتائج مفاجئة؟

الاستماع والحوار

اذهبوا الى الرابط التالي و ناقشوا المواضيع التي تطرق إليها الفيديو:

https://www.youtube.com/watch?v=SE2_4bNOhnQ

UNIT 3: الفن الساخر في العالم العربي

استمرار الإرهاب ينعش الفن الساخر في العالم العربي

بقلم: مصطفى عبيد. نشر بتاريخ: 07 يوليو 2020

عمرو سليم: الأصوليون يعادون الكاريكاتير، لأنه يُعريهم ويفضح تفكيرهم.

الجمال فن وإبداع وثقافة ابتكار وكتابة وتدوين وموسيقى ورقص ورسم، وبلوحة مبهرة تنتصر حضارات، وتخلدُ أعمال، وتُشحذ هِمم، وبرسمة جميلة تتغيّر معالم،

وتنفتح أبواب وتسقط ممالك شامخة. وفق هذه الرؤى الجمالية يتلخّص دور الفن الساخر، أو فن الكاريكاتير كما يراه الفنان المصري عمرو سليم.

الكاريكاتير، فن خاض ولا يزال يخوض العديد من المعارك في الأوطان العربية، برؤى جمالية تكشف المستور وتميط اللثام عن بعض الجوانب السلبية في حياتنا اليومية، بطريقة لاذعة أساسها السخرية.

وفق هذا الفهم يقول رسام الكاريكاتير المصري عمرو سليم "يمكن النظر إلى قيمة فن الكاريكاتير في معارك الحياة، ويمكن التعرّف على ما فعله هذا الفن الساخر من إنجازات حقيقية. كيف بدّل المفاهيم والأفكار، وغيّر التصوّرات، وقاوم القبائح. كل ذلك يجعلنا نضع أيادينا على أهمية الكاريكاتير، في مقاومة عواصف الإرهاب الديني المُشتّتة للعالم العربي، كأحد مظاهر القبح المصنوعة والمستثمرة لتمزيق الأوطان".

يرفض عمرو سليم في حواره مع "العرب" ما يطرحه البعض، حول انزواء فن الكاريكاتير في العالم العربي أو غيابه عن معارك العرب الآنية، فما زال أحد أهم أسلحة الحضارة الفعالة في مقاومة الأصولية، فالمعركة مع الإرهاب تحتاج إلى مواجهة إبداعية، مثلما تحتاج إلى مواجهات أمنية وفكرية وسياسية.

ويرى الفنان المصري أن "أولى خطوات المقاومة الإبداعية هي السخرية، وهي الأكثر تأثيراً وانتشاراً وفعالية من مقالات الصحف، وخطب الساسة، وبيانات المسؤولين، فهي تقف دوماً على ضفة الحرية، والتسامح، والتعايش، وتواجه بالرسمة تصوّرات وأفكاراً يحاول الأصوليون تسويقها باعتبارها مُسلمات دينية، وبمجرد سخريتنا منها ومن فكرة احتكارهم للحديث باسم الدين، أو وضعهم لأي مخالف لهم في خصومة مع الدين نفسه، أو فسادهم المستتر باللحية، تنكشف وجوههم الحقيقية ويطالبون برأسك".

وتعرّض الفنان المصري للمحاكمة أربع مرات، بسبب رسوماته في عهد الرئيس المصري الأسبق حسني مبارك بتهمة إهانة رئيس الجمهورية والسخرية من الحكومة، ثُم حوكم في عهد الرئيس الإخواني محمد مرسي سبع مرات بتهمة ازدراء الدين الإسلامي، لرسوماته الساخرة من قيادات جماعة الإخوان.

مواجهة مع السماء

أكّد عمرو سليم أن الحكم المدني مهما كانت درجة استبداده، لا يمكن أن يضعك في مواجهة مباشرة مع الله، فكافة قضايا اتهامه بإهانة رئيس الجمهورية في عهد مبارك تم حفظها، لكنه فوجئ بتصوير كل رسومات ساخرة من الإخوان، على أنها خروج عن الدين وازدراء له.

وحكى أنه رسم عام 2013 -عام حكم الإخوان- رجالاً فاسدين لهم لحية وفوجئ باستدعائه واتهامه بازدراء الإسلام لأن اللحية رمز لسنة النبي، ورسم شخص فاسد بلحية يعني في تصوّر الإسلاميين سخرية من سنة النبي.

وأشار إلى أن الأصوليين لا يحتملون فن السخرية، ولا يمكنهم تقبله مهما حاولوا التظاهر برحابة الصدر ومهما ادعوا التسامح، ويضيف "إنهم يضعونك في مواجهة لا ترضاها مع الله أو مع النبي، لأنك كشفت زيفهم أو سخرت من صلاحهم الزائف".

وأوضح الفنان المصري أن هناك كتائب إلكترونية مُجندة للهجوم على رسومات الكاريكاتير التي تفضح فساد الإخوان، والتيارات الإسلامية السياسية، ويقول "إنني أحمد

الله أن أصبحت مصدر رزق لآلاف الشباب الذين لا يجدون وظيفة، ويضطرون للعمل في الكتائب الإلكترونية للإخوان للهجوم على رسوماتي، ورسومات الفنانين العرب الموجعة".

وأضاف "إن الإسلاميين بشكل عام غير قادرين على الإبداع، ولا يحتملون مواجهته بإبداع آخر، لذا يلجؤون إلى تكفير المبدعين والرسامين وتصويرهم بأنهم خصوم للدين". وما يقوله عمرو سليم يذكرنا بمعركة شهيرة شهدتها مصر في يونيو 1962، بعد أن انتقد الشيخ محمد الغزالي مساواة الميثاق الوطني المصري الرجل بالمرأة، فرسم الفنان صلاح جاهين عدة رسومات ساخرة بجريدة الأهرام، رد بها على الشيخ، وفي إحداها صورة وهو يركب حصانا ويتحدث عن النساء بازدراء، ما دفع الشيخ للهجوم على الفنان في خطبة الجمعة ليخرج المصلون بعدها في مظاهرة عارمة نحو مبنى الأهرام، طالبوا فيها برأس جاهين. وأشار عمرو سليم، إلى أن المعركة الأولى في العالم العربي هي معركة التطرف، لأن هناك أناساً تريد ألّايفكر أحد، وإذا كان البعض يقول عبارة "أنا أفكّر إذا أنا موجود"، فإن هناك مَن يقول "أنا أكفّر إذا أنا موجود" ما يدعو لضرورة دعم المواهب الحقيقية، وتشجيع المبدعين لمواجهة التطرف.

وهم التراجع

في تصوّر عمرو سليم، أن فن الكاريكاتير لم يتراجع لصالح قفشات وطرائف السوشيال ميديا التي يصفها بأنها عابرة، وغير معروف أصحابها، بينما يحمل الكاريكاتير توقيع الرسام نفسه الذي يكون مسؤولا عمّا يرسمه.

وقال إن تراجع اهتمام بعض الصحف بفن الكاريكاتير في غير محله، ويجب أن يكون هناك تفهم لقيمة هذا الفن باعتباره فناً مارقاً، مشاغباً، ينتقد ويرفض ويشتبك مع كل ما يُعد قبحاً أو فساداً، والرسام بطبيعته حر، ينطلق دون حدود واضحة معبراً عن رأيه بخطوط تحمل مبالغات وخفة ظل وجاذبية ومقدما رؤية ربما لا تستطيع المقالات التعبير عنها. ولفت إلى أن اتساع الصحافة الإلكترونية يتيح للكاريكاتير فرصا أكبر من النشر، ولا توجد تكاليف للطباعة والورق، وهناك مساحات لا محدودة يمكن فيها نشر رسومات كاريكاتير عديدة تتناول السياسة والفن والرياضة والاقتصاد وقضايا المجتمع.

ورأى أن مستقبل فن الكاريكاتير في العالم العربي منتعش، لاتساع المشكلات والتحديات التي تثير الحاجة للسخرية وتدفع للمقاومة بالإبداع، وأضاف "لدينا نحن العرب على وجه الخصوص قضايا هامة وعديدة تستحق أن نرسم عنها".

ويعرف عن عمرو سليم أن صحافيا فرنسيا سأله بعد سقوط حكم مبارك، إن كان حزينا على رحيله لأنه لن يجد هموما ومشكلات يمكنه السخرية منها، فقال إنه على استعداد أن يرسم عن الحب والجمال والزهور والأطفال، متصوّرا أن تحديات الفساد والمحسوبية والإهمال الحكومي والاستبداد إلى زوال. لكنه كان حالماً، لأن مشكلات العالم العربي أزلية وستظل مادة للسخرية وساحة للتناول من قبل المبدعين إلى الأبد.

يعتقد عمرو سليم أن فن الكاريكاتير استفاد من تطوّر التكنولوجيا بشكل كبير جدا خلال السنوات الأخيرة، غير أن الأمر يختلف من رسام إلى آخر، وضرب مثلا بأنه

كان يقوم بتلوين رسوماته بألوان الماء وكان ذلك يستغرق وقتا طويلا، لكنه الآن يقوم بالتلوين من خلال برنامج "فوتوشوب".

وأوضح لـ"العرب"، أن بعض الرسامين يفضلون الاستغناء تماماً عن الورق ويرسمون مباشرة على أجهزة الحاسب المحمولة، لكنه ما زال يرسم بيديه، لأن الرسم إلكترونيا له مشكلة تتمثل في عدم إمكانية عمل معارض رسومات يمكن بيعها كأصول فنية، لأن أي رسم يكون عبارة عن صورة فقط.

وأكّد أن الكاريكاتير استفاد من التكنولوجيا في سهولة الاطلاع على تطورات الرسامين في مختلف البلدان حول العالم، والتعرّف على اتجاهات مختلف المدارس، بعد أن كان الأمر يستلزم البحث عن مجلات الكاريكاتير الأجنبية. وذكر أنه لو تم منع رسمة في صحيفة ما، تحت أي تصوّر حتى لا يشاهدها 60 ألف شخص متوقعين كجمهور لها، فإن الرسام يمكنه نشرها على مواقع التواصل لتصبح متاحة لأضعاف هذا العدد.

وإذا كان بعض رسامي الكاريكاتير يلجؤون إلى ابتكار شخصيات محددة تتكرّر معهم في رسوماتهم مثل "حنظلة" لرسام الكاريكاتير الفلسطيني الراحل ناجي العلي، أو "فلاح الهنادوة" و"عبده مشتاق" للفنان المصري مصطفى حسين، فإن عمر سليم يرى أن البطل الحقيقي للرسم هو الفكرة ذاتها.

وقال إنه لا يفضل ابتكار شخصيات بعينها، لكنه يتذكّر أنه رسم في إحدى المرات كلبا يبول في جانب الرسم، وفوجئ باهتمام الجمهور به وإطلاق اسم "بوبي" عليه، ثم وجد مجموعة من جمهور فيسبوك باسم أصدقاء "بوبي"، لدرجة أنه سُئل خلال إحدى محاكماته عمّن يقصده بهذا الكلب. وأضاف أنه يستيقظ مبكرا في الفجر كل يوم ليتابع الأخبار العالمية والإقليمية، بحثاً عن فكرة تستحق السخرية قبل أن يتفرّغ تماما للرسم والتلوين، ويتابع بشكل دائم عدداً من مبدعي الكاريكاتير في العالم العربي، ويحمل إعجاباً شديدا لبعضهم.

المفردات

taking record of/putting down in writing	تدوين
sharpen/whet	تُشحذ / تُسن
veil	اللثام / الوشاح
pungent	لاذع
ugliness	القبائح
instantaneous	الآنية
contemp/disdain/misprision	ازدراء / احتقار
fakeness	زيف
pact/convention/agreement/treaty	الميثاق / التعهد

disbelieve	أكفّر
quips/witty answers	قفشات / الفكاهيات
deserter/renegade/apostate	مارق / متمرد
cronyism/nepotism	المحسوبية
end/lapse/termination	زوال / نهاية
dreamy/fantasist/idealizer	حالم
eternal	أزلي

صِلوا الكلمات التالية بمرادفتها:

توثيق		تدوين
بنّاء		ساخر
دلالة		مفهوم
خيالي		فعال
هازئ		حالم

المفردات

املأوا الفراغ بالكلمة المناسبة:

لاذعاً	مقاومة	خصومة	التطرف	الرسم
تمزيق	ضفة	قيادة	قضايا	جمهور

1. تحدث .... المضادات الحيوية، عندما تصبح البكتيريا قادرة على تحمل العلاج أو المضاد الحيوي الذي كان يقتلها.
2. على الرغم من قرارات مؤسسات منظمة التحرير واتجاهات الرأي العام الفلسطيني، إلاّ أن .... السلطة الفلسطينية تصر على مواصلة التعاون الأمني مع إسرائيل.
3. أقامت المدارس الفرنسية يوماً دراسياً يناقش موضوع .... الديني.
4. انتشرت في الفترة الأخيرة برامج تلفزيونية تعالج .... المرأة في المجتمع السعودي.
5. شكّل العقد الرابع من القرن المنصرم، منعرجاً تأسيسياً لـ .... التشكيلي العربي.
6. سأزود مكتبي بآلات .... الورق.

7. قام .... نادي برشلونة بإحراق علم نادي ريال مدريد.
8. نجح رجال الأمن، بالتعاون مع شيوخ القبيلة، في إنهاء .... بين عائلتين.
9. واجه أردوغان انتقادا .... بعد قراره بتحويل آيا صوفيا الى مسجد.
10. في الصيف الماضي قمت بقضاء عطلتي على .... نهر النيل.

أسئلة الفهم

ناقشوا الأسئلة التالية في مجموعات لا تزيد عن ثلاثة طلاب:

1. ما هو دور الفن الساخر حسب الفنان المصري عمرو سليم؟
2. ما هي التحديات والمعارك التي يخوضها الفن الساخر في الأوطان العربية؟
3. كم مرة تعرّض الفنان المصري للمحاكمة؟ ومِمّن كان يسخر برسوماته؟
4. كيف يرى الفنان المصري مستقبل فن الكاريكاتير في العالم العربي؟
5. ما الفرق بين الرسم على الورق والرسم مباشرة على أجهزة الحاسوب المحمولة؟

أسئلة المناقشة

ناقشوا الأسئلة التالية في مجموعات لا تزيد عن ثلاثة طلاب:

1. ما هو أفضل وأسوأ جانب في الفن الساخر/الكاريكاتير؟
2. كيف يعبر الفن الساخر/الكاريكاتير على القضايا الاجتماعية أو السياسية الحالية؟
3. ما هو الغرض الرئيسي من الكاريكاتير؟
4. هل تظن أن الفن الساخر/الكاريكاتير فنٌ مهمَل في الدول العربية؟

الترجمة

ترجموا ما يلي إلى اللغة الإنجليزية:

يعتقد عمرو سليم أن فن الكاريكاتير استفاد من تطوّر التكنولوجيا بشكل كبير جداً خلال السنوات الأخيرة، غير أن الأمر يختلف من رسام إلى آخر، وضرب مثلاً بأنه كان يقوم بتلوين رسوماته بألوان الماء، وكان ذلك يستغرق وقتاً طويلًا لكنه الآن يقوم بالتلوين من خلال برنامج "فوتوشوب".

الكتابة

اختاروا موضوعاً واحداً من المواضيع التالية و اكتبوا حوالي 150-200 كلمة:

1. يتمثل جزء من عمل رسامي الكاريكاتير في البحث عن ميزات وعيوب الشخص وتسليط الضوء عليها بطرق مختلفة، فكلما كان مظهر الشخص أكثر غرابة، زادت المواد المتاحة للفنان لإبراز موهبته. هل هذا يدخل في نطاق لعبة عادلة، في ظل افتراض أن الشخص يعرف ما سيصل إليه إذا كان يجلس أمام رسم كاريكاتيري؟

2. أين يُرسم الخط الفاصل بين الكاريكاتير والفنون الجميلة، أيوجد خطٌ كهذا أصلًا؟
3. هل يعجبك عندما يستعمل الفن للتعبير عن الجمال والإبداع دون نسيان الجانب القبيح والمؤلم من الحياة؟ لماذا؟

الاستماع والحوار

اذهبوا الى الرابط التالي و ناقشوا المواضيع التي تطرق إليها الفيديو:

https://www.youtube.com/watch?v=HzvlYFcQ5jw

10

SCIENCE AND TECHNOLOGY

العلم والتكنولوجيا

UNIT 1: العالم يشهد ثورة صناعية رابعة

ما هي أكثر الدول تصديرا للتكنولوجيا المتقدمة في العالم العربي؟

بقلم: أحمد نظيف. نشر بتاريخ 09 أبريل 2017

تصل نسبة صادرات التكنولوجيا المتقدّمة في إسرائيل إلى 16% من مجموع صادراتها من السلع المصنوعة، في المقابل لا تتجاوز النسبة في العالم العربي الـ 3%. إذ تغنم الدولة العبرية سنوياً أكثر من 11.8 مليار دولار من صادرات التكنولوجيا المتقدمة، ولكنها تنفق 4.9% من نتاجها الإجمالي سنوياً على البحث العلمي والتطوير. وتشمل صناعات التكنولوجيا المتقدّمة المنتجات القائمة على البحوث العلمية، ومنها الصناعات العسكرية المتطورة والصناعات الطبية والصيدلانية والأنظمة الزراعية التكنولوجية وأجهزة الإدارة الذكية والمراقبة والشرائح الإلكترونية وأنظمة الدوائر المتكاملة والحواسيب. ورغم الثورة التكنولوجية الهائلة التي شهدها العالم خلال العقد الأخير، إلا أن نصيب العالم العربي من الصناعات التكنولوجية المتقدمة ومن سوقها العالمي لا يزال ضئيلًا جداً، ولم يشهد تطوراً كبيراً خلال هذه الفترة قياساً لما شهدته بقية الدول النامية.

في العام 1992 كانت نسبة صادرات التكنولوجيا المتقدّمة من مجموع صادرات العالم العربي من السلع المصنوعة لا تتجاوز الـ 1% وبعد أكثر من 22 عاماً بلغت النسبة 3% فقط، على الرغم من الطفرة التكنولوجية التي شهدها العالم خلال هذين العقدين، في منطقة لا تخصص دولها أكثر من 0.8% من دخلها القومي للبحث العلمي سنوياً كحدّ أقصى.

DOI: 10.4324/9781003193234-11

المغرب وتونس في الريادة

حافظت كل من المغرب وتونس على الريادة العربية في مجال تصدير التكنولوجيا المتقدمة. وارتفعت قيمة الصادرات المغربية من 537 مليون دولار سنة 2000 إلى 950 مليون دولار في عام 2013. في المقابل ارتفعت القيمة في تونس من 154 مليون دولار إلى 616 مليون دولار خلال نفس الفترة، وزادت نسبة صادرات التكنولوجيا المتقدمة من مجموع صادرات السلع الصناعية من 2% إلى 5% ويعود التفوق المغربي والتونسي في هذا المجال إلى الشركات الأجنبية الأوروبية التي نقلت نشاطها أو جزء منه إلى هذين البلدين منذ منتصف تسعينات القرن الماضي، بعد أن وقعا اتفاق شراكة مع الاتحاد الأوروبي حصلت بموجبه هذه الشركات على تسهيلات كبيرة في مجال الاستثمار في المجال الضريبي، مقابل أن تقوم بتشغيل اليد العاملة المحلية. واستفادت شركات تصنيع السيارات والشرائح الإلكترونية المستعملة في الحواسيب وأجهزة التلفاز والاتصالات من اليد العالمة الرخيصة والتسهيلات الاستثمارية التي وجدتها في تونس والمغرب، كما استفادت وبشكل كبير من وجود يد عاملة ماهرة ومدربة وكفاءات تحمل درجات علمية عالية في مجال الهندسة والتكنولوجيا، وتقبل بدخل أقل بكثير مما يطلبه نظراؤها في أوروبا. إلى جانب الاستثمار الخارجي يوجد تطور في المؤسسات المحلية في تونس والمغرب في مجال الصناعات التكنولوجية المتقدمة، مستفيدةً من مناخ تشجيع البحث العلمي والتطوير، فتونس الدولة التي لا يتجاوز عدد سكانها العشرة ملايين نسمة، يوجد بها أكثر من 18 مركز أبحاث مصنف دولياً. في المقابل نلاحظ غيابا تاماً للكثير من الدول العربية عن خارطة صادرات التكنولوجيا المتقدمة، رغم ما تملكه من إمكانيات مالية وبشرية كبيرة. فالعراق وليبيا خارج التصنيف تماماً رغم مداخيل النفط الهائلة التي يحققها البلدان الغارقان في أزمات أمنية وسياسية منذ سنوات. أما الجزائر فقد شهدت انتكاسة واضحة، حيث كانت تصدر ما قيمته أكثر من 21 مليون دولار من التكنولوجيا المتقدمة سنة 2000، لكن الرقم تراجع إلى حدود 3 مليون دولار فقط في عام 2013، على الرغم من الثراء المادي والبشري لهذا البلد.

قفزة خليجية

شهدت أغلب الدول الخليجية تطوراً نوعياً في حجم صادراتها من التكنولوجيا المتقدّمة خلال العقد الأول من القرن الحالي. إذ تضاعفت قيمة الصادرات الخليجية من التكنولوجيا المتقدمة أكثر من ثلاث مرات، باستثناء قطر. الإمارات التي جاءت في المرتبة الثالثة عربياً كانت فيها قيمة الصادرات التكنولوجية لا تتجاوز 5 ملايين دولار في العام 2000، لترتفع إلى حدود 457 مليون دولار في العام 2013. وكذلك الشأن في السعودية التي ارتفعت فيها قيمة الصادرات من 21 مليون دولار إلى 288 مليون بين عام 2000 و2013. أما في الكويت فقد قفزت قيمة الصادرات من 1.5 مليون دولار سنة 2000، لتبلغ 84 مليون دولار

في عام 2013، وتضاعف المبلغ ثلاث مرات في عمان خلال نفس الفترة، وفقاً لأرقام نشرها البنك الدولي. ويعود هذا التطور الخليجي إلى الإمكانات المالية الهائلة التي تملكها هذه الدول من عائدات النفط والغاز، والتي دعمت سياسات تطوير البحث العلمي والتعليم العالي، إذ تتصدر المؤسسات التعليمية الخليجية قائمة أفضل الجامعات في العالم العربي، وخاصةً في التخصصات العلمية والتقنية والتكنولوجيا. كما شكلت السياسات الحكومية التي انتهجتها الدول الخليجية خلال السنوات الأخيرة، دافعاً كبيراً لنمو صناعات التكنولوجيا المتقدمة وصادراتها نحو الخارج. إذ تسجل هذه الدول مراتب متقدمة في المؤشرات العالمية لسهولة نشاط الأعمال عموماً، ومؤشرات ريادة الأعمال على وجه الخصوص، قياساً لبقية مناطق العالم العربي. وفي مجال السياسات أيضاً، تحولت منطقة الخليج إلى بيئة جذب للمواهب والكفاءات، من خلال حزمة تشريعات وإجراءات حكومية، لعل أخرها ما أعلنته السلطات الإماراتية من إطلاق منظومة تأشيرات لدخول الدولة، تركز على استقطاب الكفاءات والمواهب الاستثنائية في المجالات الطبية والعلمية والبحثية والتقنية والفكرية.

المفردات

صادرات	exports
السلع / المنتجات	merchandise/products
الدول النامية	developing nations
ريادة الأعمال	entrepreneurship
انتكاسة	setback
باستثناء	excluding
عائدات / أرباح	income/profits
انتهجتها	pursued it, followed it
مراتب	ranks
المؤشرات / أرقام قياسية	indices
قياساً	analogy/compared to
الكفاءات / الجدارات	competencies/qualifications
حزمة	package
استقطاب	attracting
تشريعات	legislation

صِلوا الكلمات التالية بمرادفتها:

جذب		تطوير
مواهب		ثمن
بيئة		استقطاب
مبلغ		محيط
تنمية		كفاءات

المفردات

املأوا الفراغ بالكلمة المناسبة:

الثورة	التخصص	التخلف	كفاءة	رتيبة
التكلفة	حرق	قطاع	تعويضات	مواكبة

1. من شروط العمل في شركتنا، أن تكون لديك .... وخبرة لا تقل عن عشر سنوات في مجال البرمجة.
2. يمكن القول إنّ .... الإسكان في فلسطين مر بتطورات مهمة خلال الخمسين سنة الماضية.
3. حصل الرئيس التنفيذي لشركة "مايكروسوفت" على .... مالية.
4. تسعى الجامعات إلى .... التطور التكنولوجي المتسارع ولاستخدام وسائل التكنولوجيا الحديثة.
5. التشخيص المبكر للسرطان ينقذ الأرواح ويقلل .... العلاجية.
6. يُعتبر مصطلح .... من المصطلحات الشائعة في العالم، وخاصة في المجتمعات التي تعرف تدنياً على المستوى الثقافي والاقتصادي.
7. قال احمد زويل إنّ "........ هو أساس التميز في عصر العلم".
8. قال ناشطون سياسيون "إن .... النسائية الشبابية في لبنان ترسم مستقبلًا واعداً".
9. قد تظهر بعض المشاكل وتتحول الحياة الزوجية السعيدة إلى حياة مملة و........
10. أشعل مجهولون النار في مسجد في برلين عاصمة ألمانيا، مما تسبب في .... المسجد بالكامل وإلحاق أضرار جسيمة.

أسئلة الفهم

ناقشوا الأسئلة التالية في مجموعات لا تزيد عن ثلاثة طلاب:

1. حسب النص، ما سبب غياب بعض الدول العربية عن المجال التكنولوجي؟
2. كيف وصف الكاتب التقدم التكنولوجي في الدول العربية مقارنة مع إسرائيل؟
3. هل لعبت الدول الأوروبية دورا في التنمية التكنولوجية المغربية؟ علّل اجابتك.

4. ما سبب ازدياد نسبة الصادرات في المغرب العربي؟
5. عدّد الأسباب التي ساعدت دول الخليج في تطورها التكنولوجي.

أسئلة المناقشة

ناقشوا الأسئلة التالية في مجموعات لا تزيد عن ثلاثة طلاب:

1. هل تعتقد أن الإفراط في استخدام التكنولوجيا ضار بصحتنا الجسدية أو العقلية؟ لماذا؟
2. "العالم العربي غني بالمال لكنه فقير في التكنولوجيا" هل أنت مع أو ضد هذه المقولة؟ علّل اجابتك.
3. تهدف التكنولوجيا إلى تسهيل الحياة وتغيير حياة الناس إلى الأفضل، كيف ساهمت التكنولوجيا في تحسين البشرية وزيادة الرفاهية؟
4. هل تعتقد أنه يجب إنفاق الأموال لاستكشاف تقنيات تكنولوجية حديثة؟ أم أنه من الأفضل إنفاقها في مساعدة الناس على الأرض، وحل مشاكل الجوع والفقر؟

الترجمة

ترجموا ما يلي إلى اللغة الإنجليزية:

كما شكلت السياسات الحكومية التي انتهجتها الدول الخليجية خلال السنوات الأخيرة دافعاً كبيراً لنمو صناعات التكنولوجيا المتقدمة وصادراتها نحو الخارج. إذ تسجل هذه الدول مراتب متقدمة في المؤشرات العالمية لسهولة نشاط الأعمال عموماً، ومؤشرات ريادة الأعمال على وجه الخصوص، قياساً لبقية مناطق العالم العربي. وفي مجال السياسات أيضاً.

الكتابة

اختاروا موضوعاً واحداً من المواضيع التالية و اكتبوا حوالي 150-200 كلمة:

1. ما هو الفرق بين العلم والتكنولوجيا؟ وما هي بعض أعظم الإنجازات التكنولوجية في العصر الحديث؟
2. ما هي مزايا التكنولوجيا وما هي عيوبها؟ وهل هناك خطر على البشرية إن ازيحت جميع الحواجز والعقبات أمام التطور التكنولوجي؟ كيف ذلك؟
3. هل يمكننا الحياة بدون تكنولوجيا مثلما عاش أجدادنا في الماضي؟

الاستماع والحوار

اذهبوا الى الرابط التالي و ناقشوا المواضيع التي تطرق إليها الفيديو:

https://www.youtube.com/watch?v=ESQqAYyZONA

UNIT 2: التطور العلمي في السودان

السودان.. تحولات عديدة يقودها قطار التطور العلمي

بقلم: سناء عباس. نشر بتاريخ 12 مارس 2011

السودان من الدول العربية الأولى التي أدخلت التطور التكنولوجي، وأعطت مساحات واسعة للتقنيات الحديثة. ويتصف المواطن السوداني بالوعي الكامل بكل التطور الذي تم تحديثه في وسائل الاتصالات خلال العقود القليلة الماضية. نعم هنالك شريحة لم يصلها التعليم التكنولوجي، ولكن قاربت الأجهزة الرقمية أن تستحوذ على كل المؤسسات الخاصة، ونسبة مقدرة من الهيئات الحكومية، كما صارت المناهج المتعلقة بالحاسوب تدرس في كافة الكليات العلمية والأدبية في الجامعة. إضافةً إلى مشاريع التعليم التكنولوجي التي يتم تدريسها في المدارس، وبين ليلة وضحاها، بات التطور التكنولوجي يطول حياة الفرد وحياة المجتمع حول التطور التكنولوجي في السودان، وتأثيره على حياة الأشخاص هنالك أجرينا هذا التحقيق. تطور كبير في مجال الاتصالات في السودان، فمتى بدأت خدمات الانترنت في السودان؟ سألنا المهندس عبد الرحمن الخبير المتخصص في هيئة رعاية الإبداع العلمي السودانية "بدأت خدمات الإنترنت في السودان عام 1998 كشركة مساهمة بين الهيئة السودانية للإذاعة والتلفزيون والشركة السودانية للاتصالات سوداتل، وقدمت خدماتها عن طريق الخطوط الهاتفية، ثم بعد ذلك التصديق لشركات خاصة بتقديم الخدمة، سمح لها استخدام تقنية اللاسلكي للنطاق العريض بجانب التقنية التقليدية. ومنذ 1996 تنوع تقديم الخدمة حيث قدمت شركات الهاتف السيار خدمة الإنترنت عبر تقنيات الجيل الوسيط 2. 5. وفي عام 2007 تم التحول لخدمات الجيل الثالث، مما ساعد على الانتشار الكبير والمكثف للخدمة على امتداد القطر".

ويقول المهندس عبد الرحمن الخبيرة «صاحب ذلك التطور توفير سعات كبيرة وسرعات عالية لخدمات الإنترنت، عبر الكابلات البحرية، بدلًاعن توفيرها عبر الأقمار الصناعية، حيث تم إنشاء عدد كبلين مرتبطتين بالكابلات البحرية العالمية. وعلى الرغم من الترخيص للعديد من مزودي خدمات الإنترنت عبر السنوات، فقد تقلص عدد العاملين منهم بدرجة كبيرة. ويعزى ذلك إلى قيام مشغلي شبكات الاتصالات العامة بتقديم خدمات الإنترنت للمشتركين مباشرة بسرعات عالية وحزم متعددة. كما يعزى أيضاً إلى اضمحلال خدمات الهاتف الثابت بصورة كبيرة، وانتشار خدمات الهاتف السيار.

هنالك مشروع التعليم التكنولوجي يهدف إلى تعليم المدارس التقنيات الرقمية الحديثة يحدثنا مدير المشروع محمد السر قائلًا«يزود المشروع المؤسسات التعليمية بالموارد الرقمية التي تساعدهم على تدريس مهارات الكمبيوتر والتفكير الانتقادي ومهارات حل المشكلات، كما يزود المشروع المؤسسات التعليمية بالأجهزة وخدمات الإنترنت. ويتم من خلاله تدريب المدرسين والمحاضرين على طرق التدريس، التي تركز على المتعلم كما يتعلم المدرسون والمحاضرون والمشرفون والمفتشون كيفية التعامل مع تكنولوجيا المعلومات.

ويقول المهندس محمد السر «إن المشروع يساعد قطاع تكنولوجيا المعلومات والاتصالات بالبلاد على استدامة استخدام المؤسسات التعليمية والطلاب عامة لتكنولوجيا المعلومات والاتصالات من خلال تعزيز سوق البضائع والخدمات، وبناء قدرات للوصول إلى إدارة فعالة للتكنولوجيا في التعليم، مع بناء قدرات وزارة التعليم العام ووزارة التعليم العالي والبحث العلمي على إدارة موارد تكنولوجيا المعلومات. كما يعمل المشروع على أن يكون لدى تلك الوزارات خطة إستراتيجية لاستخدام موارد تكنولوجيا المعلومات، ويساهم المشروع في تنفيذ الجزء الأكبر منها.

في السابع من نوفمبر 1998، أصدر الفريق الركن عمر حسن أحمد البشير رئيس الجمهورية بإنشاء جائزة للإبداع والتميز العلمي، باسم الشهيد الزبير محمد صالح تمنح سنوياً. وذلك بإشراف مستشارية التأصيل وتدار عن طريق هيئة رعاية الإبداع العلمي، يقول عنها المهندس عمار محجوب الحسن مدير الهيئة «نعم تكونت جائزة الشهيد الزبير للإبداع العلمي ومن أهداف الجائزة، إيجاد هيئة علمية ترعى الإبداع وتشجع البحث العلمي في السودان، والوقوف على حجم الإبداع والتميز العلمي وسط السودانيين. وأيضاً إشراك المؤسسات في حفز ورعاية الباحثين والموهوبين. وتسليط الضوء على مشكلات البحث العلمي وضرورة تفعيل مؤسساته. أما مكونات الجائزة، فهي تعطي براءة علمية تحمل اسم الفائز وملخص للإنجازات التي أهلته لنيل الجائزة. ووسام العلم مقدم من رئيس الجمهورية، ويُمنح للفائزين على المستوى العلمي. إضافةً إلى مكافآت مالية تصل جملتها 400 ألف جنيه، تقسم على جميع الفائزين.

المفردات

be characterized by/be distinguished by	يتصف / يُعرف
section	شريحة
cables	الكابلات
authorization/legalization/legitimization/ licensing	الترخيص / الصلاحية
refer to	يعزى / يرجع إلى
be determined/be resolute	حزم / تحديد
disappearance/fading	اضمحلال
persistence	استدامة
advancement/enhancement/fortification	تعزيز
funds/means/resources	موارد
distinction	التميز
foundation/consolidation	التأصيل
patent	براءة الاختراع

summary	ملخص
achievement/acquiring/attainment	نيل / تحقيق
medal/badge of honor	وسام

صِلوا الكلمات التالية بمرادفتها:

تمرين		نسبة
عدد		بات
مجمل		إنشاء
أضحى		تدريب
تأليف		ملخص

المفردات

املأوا الفراغ بالكلمة المناسبة:

تسليط	استحوذت	ترخيص	ثابت	حفز
عقود	تطور	تزويد	توفير	نيل

1. قامت المنظمة الدولية للهجرة بـ .... المهاجرين بالخدمات الأساسية.
2. قال أسامة حبيب، صانع المحتوى العراقي، إنّ فيروس كورونا .... على العمل من البيت.
3. تسعى الشركات الغذائية إلى .... الغذاء للدول النامية والفقيرة.
4. من مخاوف العمال الأجانب، عدم تجديد .... العمل في ظل جائحة كورونا.
5. قال الشاعر أحمد شوقي: وما .... المطالب بالتمني***ولكن تؤخذ الدنيا غلابا.
6. تعمل أنجلينا جولي على .... الضوء على محنة النازحين على المستوى السياسي.
7. كشفت تقارير كويتية أن الموقف الرسمي من التطبيع مع دولة الكيان الصهيوني ....، ولن يتغير.
8. قالت منظمة الصحة العالمية، اليوم الخميس، إنّ اليمن .... على نحو ثلث من المساعدات الطبية المخصصة للشرق الأوسط.
9. ما هي الأوراق المطلوبة للحصول على .... بناء في المنطقة الصحراوية؟
10. تحدث الكاتب والمحلل السياسي مجيد عصفور حول .... الأحداث على الساحة السياسية بين إيران وأمريكا.

أسئلة الفهم

ناقشوا الأسئلة التالية في مجموعات لا تزيد عن ثلاثة طلاب:

1. بماذا يتصف المواطن السوداني؟
2. كيف تطور مجال الاتصالات في السودان على مر السنين؟
3. إلى ماذا يهدف مشروع التعليم التكنولوجي في السودان؟
4. متى أنشئت جائزة الإبداع والتميز العلمي؟ ومن طرف من؟
5. ما هي مكونات جائزة الإبداع والتميز العلمي؟

أسئلة المناقشة

ناقشوا الأسئلة التالية في مجموعات لا تزيد عن ثلاثة طلاب:

1. ما هو احساسك تجاه فكرة الذكاء الاصطناعي (قدرة الروبوتات على التفكير مثل البشر) ؟
2. ما هي التغييرات التي تود أن يحدثها العلم في العالم؟
3. ما مدى ملاءمة التعلم عبر الإنترنت لمهارات واهتمامات المتعلم الفردي؟
4. هل سبق لك أن حضرت محاضرة عبر الإنترنت؟ كيف كانت تجربتك مع التعلم عن بعد؟

الترجمة

ترجموا ما يلي إلى اللغة الإنجليزية:

هنالك مشروع للتعليم التكنولوجي يهدف إلى تعليم المدارس التقنيات الرقمية الحديثة. يحدثنا مدير المشروع محمد السر قائلًا«يزود المشروع المؤسسات التعليمية بالموارد الرقمية التي تساعدهم على تدريس مهارات الكمبيوتر والتفكير النقدي ومهارات حل المشكلات، كما يزود المشروع المؤسسات التعليمية بالأجهزة وخدمات الإنترنت.

الكتابة

اختاروا موضوعاً واحداً من المواضيع التالية و اكتبوا حوالي 150-200 كلمة:

1. في نظرك، كيف سيغير العلم العالم في المئة عام القادمة؟
2. هل تعتقد أن العلم يوماً ما سيجد طريقة تجعل الناس يعيشون إلى الأبد؟ إذا تحقق الأمر، فهل تعتقد أن ذلك سيكون شيئاً جيداً أم سيئاً؟
3. كيف أثرت التطورات التكنولوجية على حياة الجيل الحالي بالمقارنة مع الجيل السابق؟

الاستماع والحوار

اذهبوا الى الرابط التالي و ناقشوا المواضيع التي تطرق إليها الفيديو:

https://www.youtube.com/watch?v=RYFoFHHYP5g

UNIT 3: التكنولوجيا في زمن كورونا

التطور التكنولوجي بالإمارات.. نموذج ملهم للعالم في زمن كورونا

المصدر: العين الإخبارية. نشر بتاريخ 04 مايو 2020

قدمت الإمارات تجارب رائدة في الإدارة الذكية لأزمة فيروس كورونا، حيث بدأت باتخاذ قرارات استباقية تعتمد على الجاهزية والتقنيات المتطورة.

مثلت الرؤية الاستشرافية لقيادة دولة الإمارات نحو المستقبل، والتوجيه مبكراً بتأسيس بنية تحتية رقمية متطورة، نموذجاً ملهما لدول العالم في الاستباقية والجاهزية، والتي أسهمت في إدارة أزمة فيروس كورونا المستجد بطريقة ذكية، والتصدي لتداعياتها على كافة القطاعات الحيوية، مع ضمان استمرارية الأعمال بكفاءة عالية، والحفاظ على صحة وسلامة مجتمع الإمارات.

وقدمت دولة الإمارات تجارب رائدة في الإدارة الذكية لأزمة فيروس كورونا المستجد، حيث بدأت باتخاذ العديد من القرارات الاستباقية التي اعتمدت على الجاهزية والتقنيات المتطورة، التي تتمتع بها جميع مؤسسات الدولة وتطويع التكنولوجيا لإنجاز المهام، وتلبية المتطلبات اليومية لجمهور المتعاملين عن بعد، والذي انعكست آثاره الإيجابية في الحفاظ على سلامة سكان الإمارات.

واستعرضت وكالة أنباء الإمارات في تقرير لها اليوم الإثنين، أبرز القرارات والمبادرات الاستراتيجية التي اتخذتها الإمارات، وجهودها الرائدة في تطويق فيروس "كورونا" من خلال الإدارة الذكية التي أسهمت بشكل فعال في دعم جميع القطاعات الحيوية والحفاظ على سلامة المجتمع.

"العمل عن بعد"

وتقدم حكومة الإمارات جميع الخدمات الحيوية لجميع المتعاملين عن بعد، على مدار الساعة بكفاءة عالية عبر القنوات الذكية من خلال البوابة الرسمية للحكومة.

وأسهم قرار حكومة الإمارات بتفعيل نظام "العمل عن بعد" في الجهات الاتحادية، في دعم استمرار انسيابية العمل وكفاءته في مختلف الجهات والقطاعات، بالاعتماد على البنية التحتية التكنولوجية في الحكومة الاتحادية والمدعومة بالتقنيات والتكنولوجيا ذات المواصفات العالمية.

واعتمدت الوزارات والجهات الاتحادية على الوسائط التقنية والتكنولوجيا لعقد اجتماعاتها الداخلية والخارجية، مما أسهم في أداء المهام والمسؤوليات المناط بها، واستمرارية العمل في

هذه الجهات، وذلك وفق ضوابط وآليات لضمان المحافظة على كفاءة العمل وإنتاجيته، من خلال بنية تحتية مشتركة تتيح للجهات جميع إمكانية الوصول إلى مجموعة من الموارد.

" التعليم عن بعد"

وجاء توجيه وزارة التربية والتعليم بتطبيق منظومة التعلم عن بعد، التي استهدفت جميع طلبة المدارس ومؤسسات التعليم العالي في دولة الإمارات، في إطار آلية تدريس ومتابعة وتقييم منهجية تضمن سير العملية التعليمية والتربوية بكل سلاسة، وبما يترجم المستهدفات ويحقق أفضل النتائج.

والتحق بمنظومة التعليم الافتراضي أكثر من 1.2 مليون طالب وطالبة من مختلف المدارس والجامعات في الدولة، حيث تتمتع الإمارات بواحدة من منظومات التعلم الذكي الأكثر تطوراً وتقدماً في المنطقة، والتي تحتضن العديد من المشاريع والمبادرات الحيوية للتعلم عن بعد، من بينها مشروع منصة "مدرسة" للتعليم العربي الإلكتروني، التي توفر أكثر من 5000 درس تعليمي بالفيديو.

" تطبيق الحصن"

وعلى الصعيد الصحي واصلت وزارة الصحة ووقاية المجتمع منذ بداية ظهور الفيروس جهودها لإطلاق أحدث الحلول الذكية للتصدي لفيروس "كوفيد-19 "، حيث جاء إطلاق تطبيق الحصن المخصص للأجهزة والهواتف الذكية تتويجاً لجهود الإمارات في تطويق انتشار الفيروس، كونه يمثل منصة رقمية رسمية خاصة باختبارات فيروس كورونا المستجد بالإمارات.

ويجمع التطبيق مزايا وخصائص تطبيقي “TRACE COVID” و“STAY HOME” إلى جانب كونه يضمن الحماية الفائقة لخصوصية المستخدم، من خلال أفضل معايير تكنولوجيا الذكاء الاصطناعي والتكنولوجي.

كما دشنت الإمارات أكبر مختبر على المستوى العالم -خارج الصين- لفحص وتشخيص الإصابة بفيروس كورونا المستجد، بقدرات معالجة فائقة لإجراء عشرات الآلاف من الاختبارات بتقنية RT-PCR (تقنية تفاعل البوليمرز المتسلسل اللحظي) يومياً لتلبية احتياجات فحص وتشخيص الإصابة بفيروس كورونا المستجد "كوفيد-19".

بينما شكل افتتاح مراكز إجراء الفحص من المركبة تطوراً مهماً في مستوى إجراءات الفحص، والتي باتت تشكل تحديا عالميا، وتغطي المراكز أغلب مناطق دولة الإمارات، وتتيح إجراء الفحوصات اللازمة خلال دقائق معدودة.

" الطبيب الافتراضي ومنصة ملفي"

كما أطلقت الوزارة الطبيب الافتراضي لفيروس كورونا المستجد "كوفيد-19" حيث بإمكان المراجعين التحدث معه عن الأعراض التي يشعرون بها، ويتم الرد على استفساراتهم في زمن قياسي، إضافة إلى تقديم الاستشارات النفسية من خلال أخصائيين نفسيين، عبر الاتصال على خط الاستشارات النفسية الذي خصصته الوزارة للرد على المراجعين، وذلك في إطار الحرص على الحفاظ على الصحة العامة للسكان.

وفي سياق متصل، أطلقت دائرة الصحة أبو ظبي ومركز أبو ظبي للصحة العامة، بالتعاون مع شركة "سال" المختصة في الذكاء الاصطناعي والموقع الإلكتروني الخاص بالتوعية بفيروس كورونا "كوفيد-19".

كما تعد منصة ملفي المنصة المبتكرة الأولى من نوعها في المنطقة، التي توفر للمنشآت الصحية والعاملين في القطاع الصحي بأبو ظبي إمكانية الحصول على بيانات طبية للمرضى، ومشاركتها بطريقة آمنة تعزز جودة الخدمات ودعم جهود التصدي لفيروس "كوفيد-19".

ويعد مختبر الذكاء الاصطناعي إحدى المبادرات الرقمية التي أطلقتها دائرة الصحة في أبو ظبي، بهدف تعزيز ثقافة الابتكار وتحفيز سبل جديدة للعمل للمبدعين في القطاع الصحي، لمواصلة تطوير باقة متكاملة من حلول الرعاية الصحية.

وجاء منح براءة اختراع من قبل وزارة الاقتصاد لعلاج إماراتي بالخلايا الجذعية مبتكرا وواعداً لالتهابات فيروس كورونا المستجد "كوفيد-19" والذي قام بتطويره فريق من الأطباء والباحثين في مركز أبو ظبي للخلايا الجذعية تتويجاً للجهود الوطنية الرائدة والمستمرة في التصدي لفيروس "كورونا" لحماية البشرية.

" محفزات اقتصادية"

وعلى الصعيد الاقتصادي، أطلقت الحكومة الاتحادية والحكومات المحلية في دولة الإمارات العديد من المحفزات، لدعم الاقتصاد الوطني ومجتمع الأعمال والأفراد في ظل الظروف المستجدة.

وشملت هذه المحفزات تقديم تسهيلات مصرفية للقطاعات الاقتصادية والشركات الصغيرة والمتوسطة، إضافةً الى الأفراد ومنح إعفاءات وتأجيل مستحقات وغيرها من التسهيلات الأخرى.

وأصدرت وزارة الاقتصاد قائمة جديدة برسوم خدمات الوزارة، تضمنت تخفيض رسوم 94 خدمة تقدمها الوزارة لجمهور المتعاملين من الأفراد والشركات وقطاع الأعمال، وذلك بموجب قرار مجلس الوزراء رقم 20 لسنة 2020 في شأن رسوم الخدمات التي تقدمها وزارة الاقتصاد.

كما أعلنت هيئة تنظيم الاتصالات عن قائمة تضم تطبيقات العديد من المتاجر الإلكترونية في دولة الإمارات، يمكن للمستهلكين استخدامها لشراء احتياجاتهم بكل يسر وسهولة، مؤكدةً أن هذه القائمة أولية وقابلة للتحديث خلال الأيام المقبلة.

وفي سياق متصل، وفرت البنوك العاملة في دولة الإمارات تطبيقات لإنجاز المعاملات عن بعد فيما تم إطلاق خدمة التراخيص الاقتصادية بالكامل عبر منظومة "تم"، فيما أتاحت "أدنوك للتوزيع" مجموعة من خيارات الدفع الذكية بدون اللّمس في جميع محطاتها حفاظا على سلامة عملائها ومساعدتهم على الالتزام بممارسات "التباعد الاجتماعي" خلال رحلاتهم الضرورية.

واتخذت هيئة الأوراق المالية والسلع العديد من القرارات والإجراءات، التي تضمنت التطبيق الإلزامي للتصويت الإلكتروني في الجمعيات العمومية، بدلاً من الحضور الشخصي للمساهمين وغيرها من القرارات الداعمة لاستمرارية الأعمال ودعم المستثمرين.

" الخوذات الذكية"

وفي إطار الحلول الابتكارية الذكية لمواجهة "كورونا"، اعتمدت وزارة الداخلية تقنية الخوذات الذكية، القادرة على رصد الأشخاص المحتمل إصابتهم بفيروس كورونا "كوفيد-19"، وذلك لاستخدامها من قبل الفرق الشرطية المختصة بالدولة.

المفردات

رائدة	leader
استباقية / مشاركة	anticipatory
القطاعات الحيوية	vital sectors
آلية	automatism
منهجية	methodology
الحصن	fortress
دشن / افتتح	inaugurate
الافتراضي	virtual
متصل / مرتبط	attached/connected/joined
سُبل	paths
باقة	flock of/bale/bunch/bundle
تتويج	coronation
إعفاء	exemption
رسوم	charges
التباعد الاجتماعي	social distancing
الخوذات	helmets

صِلوا الكلمات التالية بمرادفتها:

تحقيق		توجيه
مثول		إنجاز
إرشاد		إسهام
تكليل		تتويج
مشاركة		حضور

المفردات

املأوا الفراغ بالكلمة المناسبة:

الرقمية	فعال	البنية	قياسي	باقة
إيجابية	الصفات	تقييم	السياق	دعم

1. يهدف هذا المشروع إلى تحسين ظروف معيشة اللاجئين السوريين، بزيادة فرص العمل وتحسين .... التحتية.
2. أضاف الرئيس عبد الفتاح السيسي، أن عملية التعويم للسفينة الجانحة تم في وقت ....
3. حذر البنك المركزي الأوروبي من مخاطر كورونا، ووعد بتجديد تعهده ب .... الاقتصاد العالمي.
4. أكدت المملكة التزامها الكامل بالنهوض بالمرأة، وتمكينها كشريك .... في بناء المجتمع.
5. ما هي العناصر و........ التي تميز المجتمع القبلي وطبيعة العلاقة بين أفراده؟
6. سجلت العملة .... أرقاماً قياسية جديدة بعد استثمار لشركة تيسلا التابعة لإيلون ماسك.
7. اجتمع أعضاء الجمعية العامة للأمم المتحدة لـ .... الأوضاع الغذائية في المخيمات الفلسطينية.
8. أتقدم بـ........ من الشكر إلى الطاقم الدراسي لدعمهم المتواصل لطلابهم.
9. لحياة أفضل عليك اكتساب طاقات .... كالتفاؤل، والعطاء، وحب الذات، والآخرين.
10. للفعل في اللغة العربية مصادر عديدة، يختلف معناها حسب ....

أسئلة الفهم

ناقشوا الأسئلة التالية في مجموعات لا تزيد عن ثلاثة طلاب:

1. كيف استطاعت دولة الإمارات تفعيل نظام "العمل عن بعد" بنجاح؟
2. كيف كانت نتائج التعليم عن بعد في دولة الإمارات؟
3. هل كان تطبيق الحصن أمراً ناجحاً في دولة الإمارات؟ كيف ذلك؟

4. ما هي خصوصيات الطبيب الافتراضي لفيروس كورونا المستجد "كوفيد-19" التي أطلقته وزارة الصحة؟
5. ما هي الخدمات والمحفزات التي قامت بها الدولة لدعم الاقتصاد الوطني؟

أسئلة المناقشة

ناقشوا الأسئلة التالية في مجموعات لا تزيد عن ثلاثة طلاب:

1. كيف يمكنك كطالب المساعدة في نشر الوعي حول خطر التكنولوجيا بطريقة لا يتم فيها إدانة التكنولوجيا في هذه العملية؟
2. ما هي بعض الطرق المثيرة أو المدهشة التي تستخدم فيها التكنولوجيا في المنزل للاتصال والمشاركة أو التعلم؟
3. كيف يختلف استخدامك للتكنولوجيا في المنزل عن استخدامك للتكنولوجيا في المدرسة؟
4. كيف يمكننا سد الفجوات الموجودة بين الاستخدامات المنزلية والاستخدامات المدرسية للتكنولوجيا؟

الترجمة

ترجموا ما يلي إلى اللغة الإنجليزية:

التحق بمنظومة التعليم الافتراضي أكثر من 1.2 مليون طالب وطالبة من مختلف المدارس والجامعات في الدولة، حيث تتمتع الإمارات بواحدة من منظومات التعلم الذكي الأكثر تطوراً وتقدماً في المنطقة، والتي تحتضن العديد من المشاريع والمبادرات الحيوية للتعلم عن بعد، من بينها مشروع منصة "مدرسة" للتعليم العربي الإلكتروني التي توفر أكثر من 5000 درس تعليمي بالفيديو.

الكتابة

اختاروا موضوعاً واحداً من المواضيع التالية و اكتبوا حوالي 150-200 كلمة:

1. كيف أثرت التطورات التكنولوجية على الاتصال وكيفية تلقي الأخبار وفي المجال الطبي والتعليمي؟
2. هل تعتقد أن الروبوتات ستسبب البطالة (فقدان الوظائف) في المستقبل؟ أم ستؤدي إلى مزيد من العمل؟ ما هي نظريتك؟
3. هل تظن أن التكنولوجيا والتقدم العلمي يقطعان رباط التجديد بين الإنسان والطبيعة؟

الاستماع والحوار

اذهبوا الى الرابط التالي و ناقشوا المواضيع التي تطرق إليها الفيديو:

https://www.youtube.com/watch?v=R8r_jnBq5aY

INDEX